JN064394

# 「陰謀論者」としてマスコミが演出報道

## 日テレ『newsZERO』

■2021年9月28日には日テレ「ニュースZERO」にも取り上げられ、元妻がインタビューに答えていました！

news zero

【"反ワクチン"で夫と別れ…家族「分断」に】
20年以上一緒に暮らした内縁の夫と別れた女性。
その原因のひとつは夫のワクチンに対する「強い反対」でした。
また医師によれば、ワクチンに関する"根拠のない情報"に影響されてしまう患者もいるといいます。

日テレの放送内容をチラシにしたもの

# 毎日放送「よんちゃんTV」

毎日放送（MBS）のよんちゃんTV」の特集で2021年11月10日に放送される。

4/30の朝日新聞、9/28の日テレ「ニュースZERO」では実現しなかった（妻側だけ取材）元夫婦対決が実現！！

**特集タイトル**　スクープ　悪質デマの正体に迫る

**元家族パート**　「陰謀論に引き裂かれた家族“デマの正体”は？

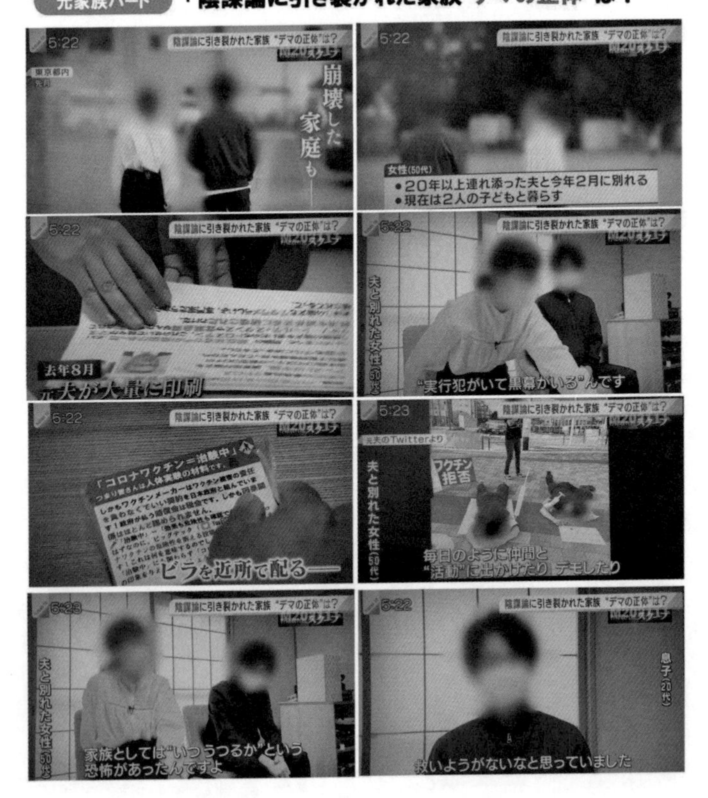


https://youtu.be/oVt8MoZXdec

毎日放送の元妻側パートをまとめたもの

毎日放送の元夫（私）側パートをまとめたもの

人気ユーチューバー“はじめしゃちょう”との対談動画出演時の河野大臣の発言。

## デマ太郎、VAERSを知らないの？！

VAERS（Vaccine Adverse Events Reporting System）
によれば米国で1万7,500人が死亡している！
VARESは実態の1%しか報告されないと分かっているから、
実態はその100倍の175万人の死亡だ！

VAERS COVID Vaccine
Adverse Event Reports

Reports from the Vaccine Adverse Events Reporting System. Our default data reflects all VAERS data including the "nondomestic" reports.

As of 11-18-2022 VAERS has stopped putting free text field information in the public data for Europe/UK.

All VAERS COVID Reports　US/Territories/Unknown

961,352 Reports Through May 12, 2023

source: OpenVAERS.com

| | | |
|---|---|---|
| 17,568 DEATHS 死亡 | 80,878 HOSPITALIZATIONS 入院 | 116,107 URGENT CARE 緊急処置 |
| 193,733 DOCTOR OFFICE VISITS 診療所訪問 | 2,438 ANAPHYLAXIS アナフィラキシー | 6,132 BELL'S PALSY ベル麻痺 |

# 陰謀論者と呼ばれて

コロナの「真実」を
追求したら
迫害が待っていた！

## 【まえがき】

## コロナワクチン懐疑派の勝利宣言に代えて / 宮庄 宏明

我が家は子どもが2人いて夫婦仲の悪い、ごく普通の4人家族でしたが、コロナ騒動が始まって1年が経とうとしていた2021年2月に別れることになりました。それをマスコミ4社が「コロナ離婚」として取り上げました。その中で私は「根拠のない陰謀論にハマって家庭を壊した元夫」として描かれていました。

しかし、どのマスコミも特集のタイトルとは裏腹に、彼らが「陰謀論」と呼ぶものに関して一切深掘りも検証もしようとしませんでした。

「陰謀論」とは結局何なのか？　そして「陰謀論者」と呼ばれる人たちとは一体どんな人間なのか？

「陰謀論にハマって家庭を崩壊させた」としてマスコミに陰謀論者呼ばわりされ、デマを撒き散らす悪者にされた私が、マスコミに代わって国民の皆さんに真実を伝えるために書き下ろしたのがこの本です。

コロナ離婚の真相もコロナ騒動の真相も伝えようとしないマスコミへの反撃の書です。

河野太郎ワクチン担当大臣（当時）は、2021年6月24日に新型コロナワクチンに警鐘を鳴らす医師と議員の会が「新型コロナワクチン接種中止」の嘆願書を厚労省に提出し、参議院会館で記者会見を行う直前に、それを牽制するかのように、「医師免許を持っているにも関わらずデマを流す人もいる」と自身のブログに書き、その後も「アメリカでは2億回ほどワクチンを打って死者はゼロ」と発言したり、コロナワクチンを危険視する我々を、「デマを撒き散らす陰謀論者」扱いしてきました。

我々はコロナワクチンが始まる前から、大物ワクチン研究者や学者からの警告に注目し、「コロナワクチンを打ったら大変なことになる！」と警告を発し、それをできるだけ多くの国民に伝えるべく、デモや街宣、ポスティング、国や自治体への陳情、書籍の出版、訴訟などありとあらゆる手段を使って活動してきました。

それにも関わらず、ワクチン接種を止めることはできませんでした。それは他国も似たような状況でした。

しかし、2022年の中頃までには日本以外の国での接種はほとんど止まりました。理由は、3回目、4回目のブースター接種により、逆にコロナ死者が激増し、例年との総死者数の差を示す超過死亡者数も同じく激増したからでした。

ワクチンを打てば起きると我々が警告していたことがすべて現実のものとなっています。心筋炎、脳梗塞、心筋梗塞、ターボ癌、死産、流産、不妊、アルツハイマー、免疫の低下、シェディング（伝播）など。

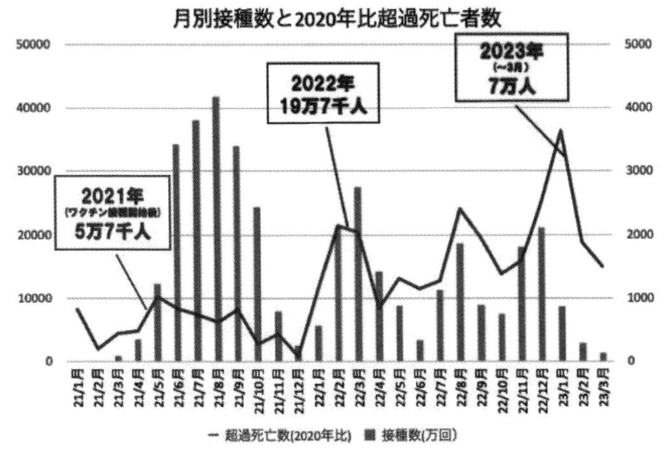

コロナワクチン接種数と死亡者数増加の関係を示すグラフ（著者作成）

日本では、超過死亡者数から推測されるワクチン死亡者数がすでに25万人（2023年3月時点）を越え、ワクチンで亡くなった犠牲者の遺族たちが被害者の会を結成し、これ以上の被害者を出さないようにと訴訟を起こして闘っています。また、表に出てこないワクチン後遺症被害者数は、国や自治体による実態の把握が行われていないため推定ですが、恐らく数百万人規模でいると推測されます。ワクチンが始まってから救急車が連日、未明から深夜までエンドレスで走り回り、若者を含めて全年代で杖をつく人が急増。

ワクチンを打つことで若者の死亡率、がん患者や死産・流産が急増していることが世界中で報告され、コロナによるロックダウンやコロナワクチン被害に対する訴訟が起こされています。

ファイザーはワクチンに関して「感染予防効果の試験は行なっていない」と発言したり、EU 委員会が、コロナ騒動の全てが嘘だったと発表したり、米国のモンタナ州ではワクチン接種者の献血を禁止する法案が提出されるなど、コロナワクチンは深刻な問題となっているのです。新型コロナウイルスの起源に関しても、2023 年 2 月 26 日に米国エネルギー省が新型コロナウイルスは中国・武漢の研究所起源である可能性が最も高いとの見解を示しました。武漢研究所にコロナウイルスの研究を委託したのは、米国の感染対策の司令塔であるアンソニー・ファウチであることは、ファウチの流出メールからすでに明らかになっている事実です。海外では新型コロナパンデミック自体が壮大な陰謀であることや、ワクチンに関する嘘はすでに完全にばれているのです。

そう、もう決着は付いているのです。知らないのは日本人だけです！

「デマを撒き散らしている」と誹謗中傷された我々が正しかったのです。それにも関わらず、日本の政府もマスコミも真実を伝える方向に舵を切る決断をできずにいます。

この本は、ご自身が陰謀論者扱いされている方にも、パートナーや親しい方が陰謀論者で困っているという方にもぜひお読み頂きたいと思っています。

この本によって世の中の見え方が変わってくれれば嬉しく思います。

【もくじ】

【第1章】

# 私に起きた2つの事件

ブラックジャックによろしく／佐藤秀峰 ※本書内容と同作品、佐藤氏は無関係です。

## 世界はマスコミが作り出す

2023年5月、天下のNHKが、コロナワクチンで亡くなった被害者の遺族を、コロナで亡くなった被害者の遺族のように放送するという大失態をしでかして大騒ぎになったことは記憶に新しい。遺族側からの抗議を受けてNHKは申し訳程度の謝罪を行なったが、この信じられないような歪曲報道ぶりには言葉を失った。

振り返れば、2020年コロナ、2021年米大統領選挙、2022年ウクライナ戦争と、何かがおかしい。

コロナでは、多くの人があらゆる場所でマスクを強要され、ワクチンを半ば強要され、店を閉めさせられ、客を減らされ、海外渡航を禁じられ、憲法で保証されているはずの基本的人権が侵された。

自治体に与えられたのは、住民に様々な「要請」という名前の「お願い」をする権利であり、強制力は持たないはずだった。しかし、要請に従わない店舗の店名の公表などの圧力をチラつかせることで実質的に強制に近い状況になっていた。

2020年末の段階では政府も感染症学会も「ワクチンの効果は不明で、安全性も確認されていない」とワクチンの接種には消極的に見えた。ところが一旦ワクチンの市場投入が決まると、政府も多くの専門家達もなぜか推進一辺倒になり、副反応による死者（と医者が判断した人）の報告が10人、100人、1000人になっても一向に接種を一旦止めようとは誰も言い出さなかった。

世界で唯一、ワクチンの6回目接種を始めた現在、コロナワクチンのなかった2020年を基準とした、**ワクチン開始後の死亡者数の増加は累計で32万人を超えた**（2023年3月時点）。

帯状疱疹、ターボ癌、胸痛、ふらつき、倦怠感、慢性的な頭痛、生理不順など様々な不調を抱えるワクチン後遺症患者は数百万人いてもおかしくないが実態は全く不明だ。

米大統領選では、国民の圧倒的人気を誇るトランプ大統領に対して、おいぼれのバイデンの演説には全く情熱も迫力も感じられず、勝敗はやる前から明らかだったにも関わらず、トランプ大統領のツイッターが凍結されたり、マスコミが偏った報道を繰り返した上に、投票の不正が数限りなく行われ、大統領の座はバイデンに奪われてしまった。

ウクライナ戦争では、2014年にアメリカが支援してウクライナの親露政権を親米政権にすげ替えたマイダン革命以降、ウクライナ東部のロシア系住民へのウクライナによる弾圧が続いていたことは一切報じず、一方的にロシアを悪者にする報道一色で、日本人はロシアが悪いものと思い込まされた。

これらの事件の鍵を握るのはいずれもマスコミ報道である。
マスコミが事実を歪めて報道することで、国民は正しい情報を得ることができず、正しい判断ができなかった。

目がおかしければ世の中を正しく見ることはできない。マスコミは我々の目に相当する。マスコミの報道によって我々の見える世界は作られるのだ。
マスコミの報道を信用せず、マスコミを通さずに自分の目で世界を見ようとした人だけに、本当の世界は見えて来る。

私はコロナ騒動の最中に、ある日突然、マスコミの作り出す虚構の世界の登場人物の役を割り当てられることになった。

## マスコミの歪曲報道の標的に

「宮庄さん、新聞に載っていましたね！」
そう言われたのは、コロナ活動の仲間と山梨に日帰り旅行した帰りの車の中でのことだった。

以前、フェイスブックにおいて私の管理するグループ「コロナの真実を伝える会」が、トランプ大統領のＱアノン関連のグループとともに消されたことが新聞記事になったことがあったので、一瞬そのことかと思った。ところが話を聞いてみるとそうではなく、「コロナ離婚した家族」として、元妻家族が朝日新聞の取材を受けていたのだ。

記事の中で私は、コロナによる在宅勤務で部屋にこもるうちに陰謀論にハマって家庭を崩壊させた悪者のように描かれていた。

ここでひとつの疑問が頭の中に浮かび上がって来た。「朝日新聞は、どうやって元妻家族をにたどり着いたのだろう？」と。確かに私はフェイスブック上でコロナ離婚したことを散々書いていたので私に取材依頼が来るなら分かるが、直接元妻側に取材依頼が行ったことに関しては疑問が残った。

後から分かったのは、息子がツイッターに離婚のことを上げて結構な数のフォロワーを獲得していたのだ。私が街宣で行なったパフォーマンスの写真がバズっていた。そこに朝日新聞は目を付けたのかもしれない。

（かすむリアル：１）コロナ不安、浸食する陰謀論　マスクすると激怒、耐えきれず離婚

有料記事

2021年4月30日 5時00分

list 4

「コロナは陰謀」と主張する男性と別れた家族。説明用として男性は資料を作り、家族に示したという＝18日、東京都

（1面から続く）

■「みる・きく・はなす」はいま

東京都内に住む女性（５３）は2月、２２年連れ添った５０代の夫と離婚した。

夫は大手メーカー勤務だが、閑職に移って「つまらない」とこぼした。コロナ禍の在宅勤務で一人、部屋にこもった。

昨年の５月、夕食時に「米国が感染者と死

朝日新聞の記事より

## 離婚宣告された日

「感染対策しない人とは一緒に住めません。1か月以内に出て行って下さい！」

元妻からこの衝撃的な言葉が出たのは、コロナ騒動が始まって1年が経とうとしていた、2021年の1月中旬の、いつも通り21時過ぎの遅い夕食時のことだった。1月5日の私の58歳の誕生日が終わったばかりのタイミングだった。

確かに私は全ての感染対策に否定的で、マスクは着けなかったし、家に帰って来ても手洗いはしていなかった。私はコロナが全く恐れるべきものではないと確信を持っていたので当然の行動なのだが、マスコミの言う通りにコロナを恐れている人間からしたら、私の行動は無謀で非常識で恐ろしいものに映っていたのかもしれない。しかし私から見れば、コロナ騒動が始まって1年近く経つのに、コロナの感染者数や死者数に関して自ら情報を取って、恐れるべきものでないことを理解しようともしない元妻の感覚の方が理解し難かった。それは大多数の日本人についても言えることではあったが。

もし元妻が私の話を聞いてくれる関係性であったなら、私がコロナの嘘に気付いた時点で、様々なデータを提示して丁寧に説明していたはずだが、我々はとっくの昔にそのような関係ではなくなっていたので、そのような試みは最初から諦めていた。

元妻の発言は予想していなかった展開だったのでかなりの衝撃を受けたが、我々の関係性から考えれば想定内のことではあった。私は混乱した頭に思考力を取り戻すために少しの時間を置いた後、冷静さを装いながら「でも子どもたちの意見も聞かないと」と言って、当時大学2年生の息子と中学3年生の娘の顔を見た。すると、2人とも嘲笑するかのような表情を浮かべているではないか。私はすでに話が付いていることを悟り、子どもに裏切られた悲しさと悔しさの入り混じったような複雑な気持ちになった。子どもを味方に引き入れた元妻のやり方には若干の怒りも感じたが、子どもたちと積極的に話をしようと努力しなかった私にも問題があったので、元妻だけを責める気にはなれなかった。
すでに食事を終えていた私は、「ちょっと考える。」と言って自分の部屋に戻った。

我々夫婦は息子が小学校に上がる頃からどうにもならないほど夫婦仲が悪く、子どもの前で夫婦喧嘩することの悪影響を考えて、いずれ別れることはお互いに既定路線だった。この３年ほど前には私から「別居しよう」と元妻に提案していたほどだ。
娘は、「中学生のうちは離婚すると学校で噂になって嫌だから、高校になるまで離婚して欲しくない」と言っていた。中学卒業まであと２か月ほどと間近に迫っていたので恐らく娘が許可を出したのだろう。

部屋に戻った私の気持ちはほぼ固まっていた。感染対策をして活動をやめる選択肢は私の中にはなかった。不条理なことには黙っていられない性格で、コロナの真相を伝える活動はこの人生における自分の使命だと感じていた。
向こうから言い出してくれたことは有り難かった。別れたいとは思っていても、一方で別れることを思い留まらせる諸条件もあり、中々きっかけをつかめずにいたからだ。あとは時期の問題だけだった。
来るべき別居に備えて、子ども２人を引き取ることも想定して２年前から料理教室に通い、前年末からは６畳の部屋一杯に詰め込まれた膨大な量の荷物を減らす作業をしようとしていた矢先のことだったのだが、作業は全く進んでいなかったのだ。余分な荷物ごと引っ越すのが嫌だったので、それだけが引っ掛かっていた。
しかし元妻と別れたくて仕方のなかった私にとっては渡りに船。これを拒否する手はなかった。
とは言え、やはり可愛がって来たつもりの子どもたちと別れると思うと、これまでの色々な思い出が甦って来た。息子は何度も海外旅行に連れて行き、特に２人だけで行ったペルー旅行は私の一番の思い出の１つだった。

小学４年生の息子と２人で行った念願のペルー旅行。サクサイワマン遺跡にて。

娘が小学１年生のときに、保育園で脚が一番速かったのにも関わらず運動会のリレーの選手に選ばれなかった。悔しい思いをしているであろう娘のために、市民スポーツ祭りの小学生リレーに出るためにメンバーを集めて、みんなで練習をして臨んだが、惜しくも３位までには入れなかったこと、娘がメンバーに入っていた学童保育対抗リレーの決勝で、圧倒的な１位でゴールしながら、他チームからのアピールで違反失格となったことに抗議したこと、本来の優勝チームのメンバー全員に「君たちが本当は優勝なんだよ！」と、手作りの賞状を作って渡したことなどが思い出された。

## 新居探し

早速翌日、近所の不動産屋に行った。

後で元妻に聞いたところでは、私が遠くに引っ越すことを想定していたようだが、１か月以内に引っ越すとなると、土地勘のない場所への引っ越しは考えにくかった。当分は物の受け渡しなどで元家族と会うこともあるだろうから近くにいた方が好都合だと判断した。卓球仲間もいたし、急に環境を変えたくなかったので、当時住んでいた家から遠くないエリアをターゲットに定めた。家賃の上限金額と、静かな物件との条件を提示したところ、条件にピッタリの物件が見つかった。「静かな」と条件を付けたのは、それまでの家が、幹線道路ではないが交通量の多い道路に面し、踏切のすぐそばの、非常に騒がしいところに位置していたからである。

不動産屋から提示された物件は、ちょうど部屋のリフォームをしている最中で、私の入居希望日までには工事が終わるとのことだった。その場でそこに住むことを決め、その日の夜に、元妻の出した条件である「1か月以内」の2月11日に家を出ることを家族に伝えた。

元妻はあまりにあっさり私が離婚を受け入れたことに少し驚いたように見えた。もしかすると、家を出る時期などの条件面で多少の抵抗を予想していたのかもしれない。

## 家族への手紙

引っ越しの前日の夜、私は家族のそれぞれに向けて書いた手紙を1人ずつに渡した。

息子に対しては「既成概念に囚われないところは君の1番の長所だと思うから大事にして欲しいと思います。旅行の時も普段も、君がいたお陰で賑やかで楽しかったよ。我が家に笑いと笑顔をありがとう。これからも唯一の同性の家族として何かあったら相談してね」と。息子は小さい時からずっと我が家のムードメーカーだった。

娘には「君のことは可愛がったつもりだったけど、うまくできたときしか褒めない、と言われたね。どうしても結果ばかりに目が行ってしまうところは僕の至らないところだと思って反省しています。

いつも僕を遊び相手にしてくれて、本当に楽しいたくさんの思い出をありがとう。君の小さいときの写真は宝物だよ。

親子の縁は一生なくならないから、何か必要があったらいつでも声を掛けてね。力になるから」と。

小学6年生までは毎日一緒に遊んで仲良しだったが、中学生になった途端に全く口をきいてくれなくなったのは、思春期に有りがちなこととは分かっていたがとても寂しかった。その状態のまま、最後の最後まで言葉を一言ももらえなかった。常に子どものことを思って行動していたつもりだったので、その思いが届かなかったことが悔しかった。

そして元妻に関しては、結婚生活の後半にいい思い出はほとんどなかったが、それは生まれ育った家庭環境のせいだと理解していたので元妻を恨む気持ちはなく、「長い間、僕のために、家族のために精一杯頑張ってくれて本当にありがとう。感謝の言葉しかありません。

君の人生が素晴らしいものになることを祈っています。」と書いた。

心にトラウマを抱えていた元妻は、恐らく無意識のうちに私に救いを求めて一緒になってくれたのだろうと思っているのだが、その元妻をトラウマから救い出せなかったことに関しては私の力不足だったと申し訳なく思っている。

コロナの真相に気付いていない元妻の下に子どもたちを残してきたのは心残りだ。子どもは2人とも、私が驚くくらい周りに合わせず流されない、自分で考える力を持った賢い子だと思っている。息子はツイッターの書き込みを見る限りワクチンを2回は打ってしまったようでショックだったが、娘には絶対に打っていて欲しくないし、息子も3回目以降は打っていないことを願っている。それだけの判断力はあるはずだと信じたい。

そもそも子どもにとってコロナは重症化もしないし、仮にワクチンが有効だとしても、副反応のリスクを考えたら、子どもにワクチンを接種する選択はあり得ないのだ。

元妻にも、少なくとも子どもが独り立ちするまでは元気でいて欲しいので、できるだけ早くワクチンの危険性には気付いて欲しいと思う。

手紙を渡した翌2月11日に家を出た。その日は我々の結婚記念日の3日前だった。23年間の結婚生活だった。

妻と別れること自体は、元々私の望んでいたことだったので悲しいことではなかったが、その後、私がマスコミによって「ネット上のコロナのデマにはまって家庭の崩壊を招いた“陰謀論者”」の役割を図らずも演じさせられたことには釈然としないものを感じていた。

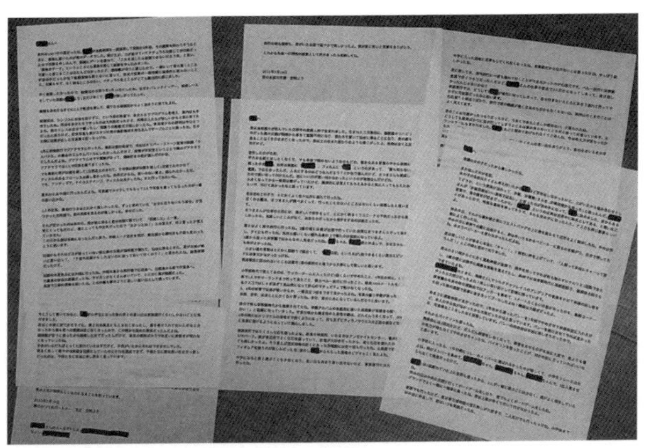

家族への手紙。左から元妻、息子、娘宛て。

【第2章】

# 許し難いマスコミの偏向報道

ブラックジャックによろしく/佐藤秀峰 ※本書内容と同作品、佐藤氏は無関係です。

## 朝日新聞

冒頭で書いた通り、2021年の9月26日に、私の離婚が「コロナ離婚」として朝日新聞に載っていることが発覚した。

以下がその記事だ。(傍点は著者)

**************************************
(かすむリアル：1) コロナ不安、侵食する陰謀論　マスクすると激怒、耐えきれず離婚

東京都内に住む女性 (53) は2月、22年連れ添った50代の夫と離婚した。

夫は大手メーカー勤務だが、閑職に移って「つまらない」とこぼした。コロナ禍の在宅勤務で一人、部屋にこもった。
昨年の5月、夕食時に「米国が感染者と死者の数を水増ししている」と言った。6月に陰謀論関係のデモに参加。8月には「コロナはただの風邪」などとする手製のチラシを周辺に配った。同じ主張の多人数で集まり、ノーマスクで飲食する「コロナ飲み会」を度々開いた。

昔から「UFO」の本をよく読んでいた。昨春、コロナ禍を否定し始めた。女性が事実と違うと伝えても「愚かだ」「君には教えない」と聞かない。家族がマスクをすると「何でしているんだ」と怒った。

写真が趣味で、娘が通った保育園の依頼を受けて園の様子を15年間撮り続けてきた夫。昨夏作った「コロナは人口削減計画の一環」とするSNSページは、「メンバー」の表示人数が増え、1千人を超えた。

女性は息子、娘と相談して離婚を決めた。「生活に支障が出ていて、仕方がなかった。周りに悪影響を与える恐れがある人を放り出してしまった責任は残る」
*****************************

元妻が不確かな情報を基に話をしているのか、朝日新聞が脚色しているのかは分からないが、事実と違う部分が目に付いた。例えば、
・閑職に移って「つまらない」とこぼした→忙しい開発の業務を外れたのはコロナが始まる8年も前の2012年のことだ。
・「コロナ飲み会」を度々開いた→開いたのは1度だけ。もっぱら参加する側だった。
・「コロナは人口削減計画の一環」とするSNSページ→新型コロナの正しい情報を収集するためのフェイスブック上のグループで、名称は「新型コロナを疑う」という極めて控え目な名称だ。

明らかに、**視聴者に何らかの“イメージ”を持たせるように誘導しようとの意図**が読み取れる。

事実に基づき記事を書き換えると以下のような感じになる。
*****************************
(かすむリアル：1) コロナ偽パンデミック、広がらない真実　コロナを口実に事実婚解消

東京都内に住む女性（53）は2月、22年同居していた50代の夫との事実婚を解消した。

夫は大手メーカー勤務で、9.11の後から真実の探求に取り組んでおり、コロナ偽パンデミックのせいで、週5回ほどやっていた趣味の卓球がほとんどできなくなり、在宅勤務になったこともあって増えた自由時間をコロナの真実の探求に当てて徹底的に調べていた。部屋の中に閉じこもっているのは、昔から嫌いな妻の顔を見た

くないのと、中学生になってから口を聞いてくれなくなった娘に居間を占拠されていて、自分の部屋以外に居場所がないからである。緊急事態宣言下では出掛ける場所もなかった。

昨年の5月、夕食時に「米国が感染者と死者の数を水増ししている」と言った。娘が通っていた保育園の撮影を14年ほど続けていたが、コロナのせいで3月から撮影できなくなっていた。撮影再開を目指して、コロナが危険でない証拠を独自に集めて資料を作成し、6月頃から何度か保育園に説明に行った。7月にはフェイスブックに「新型コロナを疑う」(現「コロナの真実を伝える会」)というグループを立ち上げた。9月にはコロナの真実に目覚めた人たちによるデモに参加。その後はコロナの嘘を理解している仲間だけのノーマスクの飲み会に度々参加した。

昔から「UFO」の本をよく読んでいた。宇宙には無限の数の星があるのに地球にだけ生命が存在するとは考えられないので、他の星にも生命体は存在するはずだとの確信を持っていた。また、世界中で数多く目撃されるUFOの証拠写真や目撃談を見たり聞いたりする限り、UFOの存在を否定するのは不可能だと思っていた。世の中の真実と真理の探求が昔からの趣味だった。

昨春、コロナの対策と報道に疑問を持ち、徹底的に調べ始めた。9.11が米国政府の自作自演であることも、影の世界政府が過去に何度もパンデミックを計画し、未遂に終わっていることも知っていたため、今回も意図的に起こされたパンデミックであると当たりは付いていた。

女性が事実と違うと伝えると、「データを見ればコロナが怖くないことは明らかだ。PCR検査が何を見ているのか知っているのか？」「僕の意見をいつも否定してばかりで全く聞こうとしない君には何を言っても無駄だ」と言った。

写真が趣味で、娘が通った保育園の依頼を受けて園の様子を14年間取り続けてきた夫。富士フィルムの伝統ある写真コンテストのフォトブック部門で3年連続優秀賞を受賞する腕前だった。

昨夏作った、新型コロナの真実を暴くことを目的としたSNSグループはメンバーが2,000人を越えて、同類のグループの中では3番目の規模にまで成長していた。技術者らしく、データを重視する、学術的要素の強いことを特徴としたグループだ。

女性は1月、息子、娘と相談して事実婚の解消を決め、夫に「コロナ活動をされると家族に迷惑がかかるし、感染対策をしない人とは一緒に住めないので1か月以内に出て行って」と告げた。元々夫とは仲が悪く、夫から3年前に別居を提案されていた。子供が大きくなり、部屋が足りなくなって自分の部屋を自ら放棄して居間の片隅しか居場所のなかったことも理由の1つだ。「夫がいなくなれば自分の部屋を確保できる」。

「娘が『高校になったら別れていい』と言っていたので、少し早かったが決断した。コロナで別れるのが少し早くなっただけだった」。

＊＊＊＊＊＊＊＊＊＊＊＊＊＊＊＊＊＊＊＊＊＊＊＊＊＊＊＊＊

新聞がこのような書き方をするはずはないが。(笑)

## 日本テレビ「newsZERO」

朝日新聞に載ったことを知らされた日から1週間も経たないうちに、別の友人が「今度は“newsZERO”に出ていましたよ！」と教えてくれた。確認すると9月28日に「”反ワクチン"で夫と別れ･･･家族「分断」に」とのタイトルで、元妻家族が今度は日本テレビの取材に応じていた。

放送内容は以下の通り。

＊＊＊＊＊＊＊＊＊＊＊＊＊＊＊＊＊＊＊＊＊＊＊＊＊＊＊＊＊

「“反ワクチン”で夫と別れ・・・家族「分断」に」

20年以上一緒に暮らした内縁の夫と別れた女性。

その原因のひとつは夫のワクチンに対する「強い反対」でした。

また医師によれば、ワクチンに関する"根拠のない情報"に影響されてしまう患者もいるといいます。

(以下はインタビュー動画)
別れを選んだ夫婦もー

夫と2人の子どもの4人暮らし

去年5月ごろネットにはまり変化

(元妻) 自分がそれまでに調べたことをA4の紙にまとめて、それを娘の通う学校の周辺で配ったというんですよ。(夫が)「感染者数がうそだ」とか「PCR検査はうそだ」とか言い出して。

(元妻)「正しいことをしているのに何で君たちは反対するんだ」と怒り出して。

子供たちにー

(息子) 僕が外出するときにマスクをつけると「何でマスクをつけるんだ。マスクはしないほうがいい」と。

「コロナはただの風邪」

夫は
・マスク・手洗い・消毒も拒否
・主張の合う仲間と頻繁に飲みにいく

(元妻) なんとか止めようと何度も試みたけどケンカになるだけで。

家族の安全を守るため、今年２月に夫と別れる

家族間に亀裂
“根拠のない情報”
＊＊＊＊＊＊＊＊＊＊＊＊＊＊＊＊＊＊＊＊＊＊＊＊＊＊＊＊＊＊

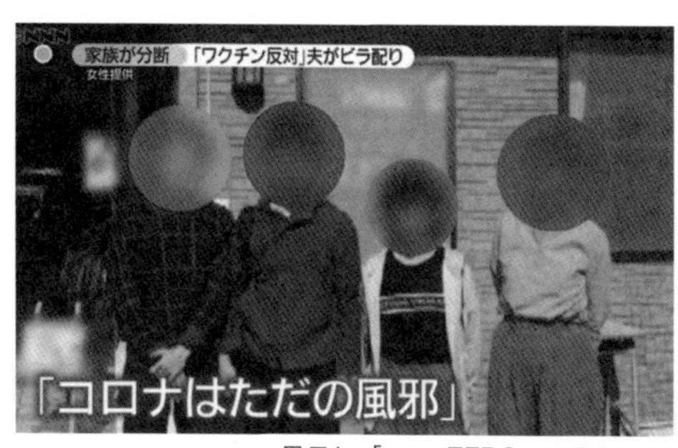

日テレ「newsZERO」の１シーン

朝日新聞、日本テレビのいずれの報道でも、私はコロナで在宅勤務になり、部屋にこもって陰謀論にはまった想定になっていたが、実際は全く違う。そして報道では私の主張を「根拠のない情報」と決めつけているが、**「根拠のない」ことの根拠の提示は一切ない**。

２社とも、特定の家庭の離婚を扱っておきながら、その片側だけにインタビューし、私に反論の機会を与えない報道の暴力のような内容だったので、私は２社に対し、「客観性を欠く偏った報道である」と電話で抗議した。私にも取材をして訂正の報道をするように要求した。担当者は「検討します」とは言ったものの、当然のようにそのような対応は行われなかった。

## 毎日放送

そこから１か月も経たないうちに、今度はSNS経由でMBSの記者と名乗る人物から取材依頼が来た。聞きなれない名称だったの

で最初はケーブルテレビかネットテレビかと思ったが、関西圏のテレビ局、毎日放送であることが判明し、担当者とのやりとりが始まった。系列としてはTBS系列に属する。

この時点で私はコロナ活動の仲間から、読売新聞は我々を“デマをばら撒く陰謀論者”として歪めた報道をするので取材を受けるべきではないと考えて取材を断った人が多いことを聞いていた。コロナの真相を伝える活動の中心にいる学者や医者の多くが取材を断っていた。

しかし今回の相手は読売新聞ではないし、担当者の話を聞く限り、誠実な人柄に感じられた。「取材した内容は歪めずにそのまま伝え、奥様側の取材もすでに終わっているので、両方の取材内容をそのまま放送し、判断を視聴者に委ねる」とも言ってくれたので、私はその言葉を信じ、「仲間の学者や医者の方々が発信できない分を私が代わりに伝えてやるぞ！」との意気込みで、陰謀論者呼ばわりされるリスクは覚悟の上で取材を受けることにした。

取材に当たっては担当者から私に聞きたいテーマが4つ提示された。「コロナ」「マスク」「ワクチン」「黒幕」だ。

この中の「黒幕」は恐らくニュースゼロの放送の中で、元妻が私が作った資料をカメラに見せ「実行犯がいて黒幕がいるって言うんです！」と話したところに目を付けたのだと思う。そしてこれは私に**「陰謀論者」のレッテルを貼るための罠**だと読んだ。従って、今回の取材では、どこを切り取られても大丈夫なように、確実なデータ、情報だけを基に説明資料を作るようにすることを決めた。黒幕については「確実にこいつが黒幕だ」と言い切れる証拠の提示は難しいので、状況証拠から推察される黒幕に止めることにした。

練りに練って十数枚の資料を用意し、取材当日を迎えた。このときの資料は第5章に掲載する。

2021年11月3日、取材は私の自宅にて記者の質問に答える形で進められた。毎日放送側は担当の記者1名と撮影と音響で2名の計３名。取材の前にマスクを外すようにお願いしたが、会社の規則で外せない、と言われた。取材の途中で撮影の方に「マスク苦しくないですか？」と尋ねると「苦しいので外したい！」と答えてくれた。

基本的には用意した資料に沿って説明したが、家族関係に関してや黒幕に関してなど、シナリオにない質問も出され、とにかくどこを切り取られてもいいように慎重に答えたつもりではあったが、「情報をどこから取っているか？」との質問に「基本はネットです」と答えたのがそのまま使われ、まるでネットの情報を鵜呑みにしているかのような印象を与えるような編集がされていた。ここは私の答え方が失敗で、具体的なサイト名を上げたり、「厚労省など信頼のおける情報源からのネット情報」などと答えるべきだった。このやり取りを入れて来る辺りは、私が「根拠のないネット情報を信じている」と思わせるための印象操作だろう。

取材は、当初の「１時間から１時間半程度」との予定を大きく超えて３時間半に及んだ。それだけ私の説明が、毎日放送の予想以上に根拠がしっかりした、緻密で包括的な情報をベースにした内容だったということだろうと思っている。

毎日放送の番組の１シーン

放送で使われたのはその中の僅か２分だけではあったが、「感染させる恐れのある無症状感染者は5,000人に１人しかいないのでマスクは全く意味がないこと」「妊婦がワクチンを打つと流産率が82%になるとする論文があること」「黒幕の1人はビル・ゲイツである可能性が高いこと」を伝えることができたのは成果だったと思っている。

放送の中で、事実と異なるところがいくつかあるが、特に悪質なものだけ指摘しておく。これは番組側の捏造と言っていいだろう。「ワクチンを打つ」と報告した息子に「ワクチンを打ってどうにかなったら面倒は見ない」と冷たいメッセージを送ったことにされているが、実際は息子からワクチンを打ったとの報告などなく、後から本人のツイッターへの書き込みで知ったのが真相だ。私のメッセージは、息子がワクチンを打ったかどうか、打つかどうか全く知らない段階でのものだ。このラインの画面の最後に「ワクチンはどうした？」と書いているのだから。「打ったら面倒を見る気はないから絶対に打つなよ！」と、ワクチンの危険性に関する私の絶対的な確信を伝えるために強い言い方をしただけだ。

放送の最後の部分には、私の主張に反論するために2人の人物を登場させている。

関西福祉大学の勝田吉彰教授は「ワクチンが不妊などを引き起こすことは医学的にあり得ない」と、専門家の見解としては「あり得ない」断定的なことを言っているが、抗体を作らせて炎症反応を起こさせるスパイクタンパクが卵巣に高濃度で溜まることをファイザーは認めているのに、なぜそれだけの自信を持って言えるのか不思議でならない。

私が主犯格の容疑者の1人として上げたビル・ゲイツに関しては、彼が海外メディアの取材に対して答えた「悪意に満ちている。あり得ない」という言葉を紹介しているが、犯人に対して「あなたは犯人ですか？」と訊くバカがどこにいるのだろうか？

ビル・ゲイツがコロナワクチンのメーカーの多くやWHOに対して巨額の出資をしていることは公知の事実であり、彼は世界の保健医療分野に対して最も大きな影響力を持つ個人なのである。それを、全く何の根拠もない反論で締めくくったのは、テレビ局には事実を伝える気がないからなのだろうと思わざるを得ない。

取材に答える元妻

元妻への取材では、元妻は私の作った資料を見せつつ、「(新型コロナパンデミックがすべて作られた詐欺だなんて) そんなバカなことがあるわけないじゃないですか！実行犯がいて黒幕がいるんです」と言うだけで、当然ながら私の主張を否定する証拠を一切提示することもしていなかった。当然、できるはずもないのだが。

コロナの真相を検証する番組ではないので仕方がないが、私と元妻のインタビューのレベルの差が激しく、私には自分の圧勝に見えたが、視聴者の目にはどう映ったのだろうか？

## 毎日新聞

2022年の3月には毎日新聞から取材の依頼があった。今回は他にも多くの方の取材をしているので、私の取材内容が採用されるかどうかはわからないとのことだったが取材をOKし、3月10日にリモートで1時間ほどの取材を受けた。記事に採用される場合は連絡が来るとのことだったが、結局は採用されなかったようで、残念ながら連絡はなかった。上層部のお気に召さなかったのだろうか？

## 読売新聞

毎日放送の取材から1年以上が経った2023年2月、今度はまた別の友人からメッセージが入った。

「先日、図書館の新刊コーナーにあった本を何となく借りてみたところ・・・陰謀論を信じてる人を取材を通して分析しているような本でした。まさかこれは宮庄さんの奥様ではないですよね？」

その本のタイトルは「情報パンデミック～あなたを惑わすものの正体」で、長期に渡って連載されていた特集を読売新聞大阪本社社会部がまとめたものだった。

「それ、うち～！」。(笑)

以下がその記事である。(傍点は著者)

*******************************

陰謀論にはまった夫と離婚を決断

家族の亀裂は、至る所で起きていた。

〈陰謀論に振り回される親を見るのが悲しい〉

〈夫と信じているものが違いすぎて全く話し合えない〉

〈身内がはまった。関係修復は無理〉

SNSには、家族が陰謀論に傾倒してしまった人たちの無数の叫びが吐き出されていた。

東京都内に住む50代の真由美さん（仮名）は2021年1月、約25年間連れ添った夫と別れる決断をした。

夫は大手精密機械メーカーに勤めるエンジニアだった。読書家で生真面目、浮気を疑ったことは一度もなかった。2人の子どもにも優しく、仲のよいごく普通の家族だと思っていた。

夫の言動を「おかしい」と感じるようになったのは、感染拡大の第2波の頃だった。4人で食卓を囲んでいると、唐突にコロナの話を持ち出し、「実は世界の支配層が仕組んだ偽装パンデミックなんだ。お前たちも、この真実を知っておいた方がいいぞ」などと言い出すようになった。

夫はコロナ禍で在宅勤務となり、一人で部屋にこもる日が続いていた。誰とも会わず、ネットで情報収集をする時間が増えた。いつの間にか、ネットで目にした陰謀論に引き寄せられたようだった。「トランプはコロナをでっち上げた勢力と戦っている」「不正選挙で再選を阻止されたが、逆襲がある」とも口にしていた。

確かに昔からUFOや都市伝説が好きだったが、娯楽として楽しんでいただけだった。だが陰謀論を口にするようになって以降、まるで何かに取りつかれたかのように行動を始めた。地元の人にいきなり話しかけては、「本当はコロナは存在しません」とネットで得た説を滔々と述べたり、娘の中学校の保護者らにマスク不要を訴えるビラを配ったりするようになっていた。

真由美さんが「子どもたちが迷惑している」と怒ると、「世界の子どもたちのためにやっているんだ。正しいことをして何が悪いんだ」と色をなして反論した。一切の感染対策を拒否し、注意されても「君はマスコミにだまされている」と全く耳を貸さなかった。

以前は攻撃的な発言をするような人ではなかった。中学生の娘が父親を怖がるようになったことも大きかった。真由美さんが「もう我慢できない。出て行って欲しい」と離婚を切り出すと、夫は最初、不満そうだったが、間もなく家を出て行った。一人暮らしを始めた元夫は会社を辞め、ワクチンに反対する活動に一層のめり込んでいった。フェイスブックで頻繁に発信し、仲間と街頭でビラを配るようになった。

大学生の息子に、何度かLINEでメッセージが届いた。「ワクチン打ったら人生が終わるぞ」。接種を思いとどまらせようと、そんな脅しのような言葉が並ぶ。陰謀論にはまった父を、息子はこう理解している。

「昔から正義感が強く、弱者のために何かしたいという気持ちを持っている人でした、それが父の良いところで好きでしたが、思いが強すぎて、『ウソのコロナ騒動で多くの人が苦しんでいる』というストーリーに心を動かされたのではないでしょうか」

真由美さんは離婚の決断について、「正しかったのだろうか」という葛藤があるという。近くに家族がいなくなったことで、元夫の行動に歯止めがかからなくなっているように感じるからだ。彼の発言や活動に影響を受けたり、巻き込まれたりする人がいれば、見放した私には責任はないと言い切れるのだろうか‥‥。

22年4月、東京都内のワクチン接種会場になっていたクリニックに侵入したとして、男女4人が警視庁に建造物侵入容疑で逮捕された。ニュースでは、4人は反ワクチン団体のメンバーだと報じられていた。

元夫は関係していなかったが、真由美さんは「他人事ではない」と思った。元夫がさらに過激化し、いつか何か問題が起きないか。一切会うことはなくなっても真由美さんの不安が消えることはない。

＊＊＊＊＊＊＊＊＊＊＊＊＊＊＊＊＊＊＊＊＊＊＊＊＊＊＊＊

また事実と異なることがいくつか書かれているので、添削して行く。

・「仲のよいごく普通の家族だと思っていた」とあるが、これを本当に元妻が言ったとは思えない。実際の夫婦仲は何年も前から極めて悪くて会話はなく、子どもへの悪影響を考えて離婚を随分前からお互いに考えていた、形だけ夫婦だった。私はこの3年前に別居を提案していたほどだ。

読売新聞は、読者に「より受けるだろう」と思ってあらかじめ準備していた台本に沿って「仲の良い家族が陰謀論で引き裂かれた」ことにしたかったのだろう。

・「一人で部屋にこもる日が続いていた。いつの間にか、ネットで目にした陰謀論に引き寄せられたようだった」という部分も、「コロナによる在宅勤務で急に部屋にこもるようになっておかしくなった」と言いたい読売新聞の悪意を感じる。実際には、娘の部屋を作った際に元妻が自ら自分の部屋を放棄し、元妻はリビングが居場所になっていたので、私が落ち着ける場所が自分の部屋しかなかっただけだ。

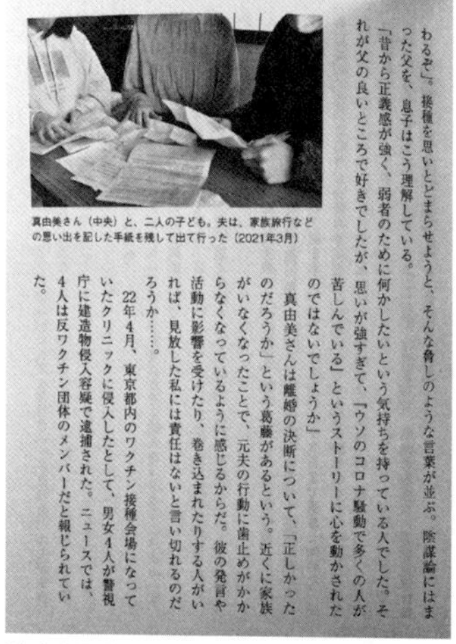

わるぞ」。接種を思いとどまらせようと、そんな脅しのような言葉が並ぶ。陰謀論にはまった父を、息子はこう理解している。

「昔から正義感が強く、弱者のために何かしたいという気持ちを持っている人でした。それが父の良いところで好きでしたが、思いが強すぎて、「ウソのコロナ騒動で多くの人が苦しんでいる」というストーリーに心を動かされたのではないでしょうか」

真由美さんは離婚の決断について、「正しかったのだろうか」という葛藤があるという。近くに家族がいなくなったことで、元夫の行動に歯止めがかからなくなっているように感じるからだ。彼の発言や活動に影響を受けたり、巻き込まれたりする人がいれば、見放した私には責任はないと言い切れるのだろうか……。

22年4月、東京都内のワクチン接種会場になっていたクリニックに侵入したとして、男女4人が警視庁に建造物侵入容疑で逮捕された。ニュースでは、4人は反ワクチン団体のメンバーだと報じられていた。

真由美さん（中央）と、二人の子ども。夫は、家族旅行などの思い出を記した手紙を残して出て行った（2021年3月）

読売新聞社刊「情報パンデミック」より

表のニュースには流れない、世界情勢の裏情報を取ることは20年近く続けてきたことであって、そのことを元妻が知らなかったのか、読売新聞が脚色したかのどちらかだろう。

・「地元の人にいきなり話しかけて」とあるが、私にそのような度胸のないことは、私を知る人なら誰でも分かるはずだ。いまだに1人での街宣はできないでいるのだ。

・「攻撃的な発言をするような人ではなかった。中学生の娘が父親を怖がるようになったことも大きかった」とあるが、攻撃的な発言を常にしていたのは元妻の方である。私は元妻から日常的に繰り返される攻撃を受けた際は、反論しても無駄な相手だと分かっているので基本的には反論して来なかったが、つい強い口調で反論してしまうことがたまにはある。しかしそれ以外では昔からずっと基本的に穏やかな人間である。何も変わっていない。

・「離婚の決断について、「正しかったのだろうか」という葛藤があるという。近くに家族がいなくなったことで、元夫の行動に歯止めがかからなくなっているように感じるからだ。彼の発言や活動に影響を受けたり、巻き込まれたりする人がいれば、見放した私には責任はないと言い切れるのだろうか」という部分。まるで家族が私の行動の歯止めになっていたかのような書き方だが、家族の言うことに「耳を貸さなかった」と前半で書いておきながらこんなことをよく書けたものだ。本当に元妻がこう思っているのであれば仕方がないが、これも読売新聞の脚色の可能性が高いと思う。

## マスコミの悪質な捏造報道

以上４社の取材を通じて共通するのは、
**「『コロナが怖くない』『コロナワクチンは危険』というのは根拠のないデマ」**であり、**「コロナによる在宅勤務で部屋に１人でこもるようになって陰謀論にはまった夫」**が、**「家族の話を聞かなくなり、何の問題もなかった家族が崩壊した」**
というお決まりのストーリーに持って行こうとする意図を感じられることである。

一見、コロナに端を発する社会問題を取り上げているような体裁を取っているが、マスコミの狙いはただ一つ、**「コロナの真相追求の動きを封じ込めるために、コロナの真相に陰謀論のレッテルを貼って葬り去ること」**のように思える。

その手法は、以下の２つを組み合わせることによる。
①コロナの真相に気付いた我々を、「元々はまともな人間だったが、ネットの怪しい情報に引っ掛かっておかしくなってしまった、頭の弱い可哀想な被害者」として描くことで、我々の主張する内容は根拠のないものであるとの印象を植え付ける。

②番組の冒頭から、コロナの真相を「根拠のないデマ」と断言することで、視聴者が「そこに真実があるかもしれない」と考える余地を奪い去った上で番組を進める。

そのような悪意を感じる一方で、もしかしたらマスコミは真面目に、「陰謀論によるコロナ離婚」を、統一教会、オウム真理教などのカルト宗教による出家問題と同列に捉えているのではないかという気もした。いわゆる「陰謀論」が「カルト宗教」に相当する、との扱いだ。少なくともマスコミ各社の上層部の意図を知らない末端の職員の多くはそのような感覚で捉えている可能性はある。

霊感商法
第三弾
水子が畳を這い回る
「悪霊」恐喝の背後捜査書
伊藤正孝／藤森研
米ふたつの事件が
ぶり出した統一教

朝日ジャーナル 1987 年 1 月 30 日号

現在はちょうど、安倍元総理の暗殺事件を発端に、容疑者とされる山上徹也が統一教会２世だったことから「宗教２世」が社会問題化しているが、私が社会人になって間もない 1987 年辺りからは、統一教会による霊感商法と合同結婚式、その信者になって出家し、家族との関係を絶ってしまうことなどが社会問題化していた。1995 年頃からはオウム真理教がそれに加わった。

私から見れば、**偏った報道でコロナを怖い怖いと必死に煽るマスコミの方がよほどカルト宗教的**だと思うのだが。

本来、報道は２つの相反する意見があったら両方を取り上げ、報道の中立性を守るべきであり、そのことが放送法で定められている。

放送法の第四条には以下のように書かれている。

**第四条**　放送事業者は、国内放送及び内外放送（以下「国内放送等」という。）の放送番組の編集に当たつては、次の各号の定めるところによらなければならない。

一　公安及び善良な風俗を害しないこと。

二　政治的に公平であること。

**三　報道は事実をまげないですること。**

**四　意見が対立している問題については、できるだけ多くの角度から論点を明らかにすること。**

しかし今回のコロナ騒動においては、「コロナは怖い」「ワクチンは効果があり打つべき」と主張する側の自称専門家ばかりをテレビに出し、それらに反する主張をする学者（大橋眞徳島大名誉教授、武田邦彦元名古屋大学大学院教授、宮沢孝幸京大准教授、井上正康大阪市立大名誉教授、岡田正彦新潟大名誉教授など）や医師（吉野敏明氏、内海聡氏など）の出演はほぼ皆無だった。

左側の「ワクチン推進派」の医者・学者だけがマスコミに登場し、
右側の「ワクチン慎重派」のマスコミ露出はほとんどなかった

なぜか**マスコミはコロナの危険性を煽り、ワクチン接種に持って行きたいのが見え見え**だった。

これは**完全な放送法違反**ではないだろうか？

しかし、マスコミと同じ論調の政府、放送権の剥奪の権限を持つ総務省はこのことには一切黙ったままだ。

**ワクチン反対派の論客の何人かは、ワクチン推進派の医者や学者に討論を申し込んだが、引き受ける者は誰1人として現れなかった。**これは極めておかしなことだ。ワクチン推進が理論的・科学的に正しいのであれば、議論を避ける理由がないどころか、議論をしてワクチン推進が正しいことを国民の見ている前で証明すれば、そのことがワクチン推進の後押しになるはずだからだ。

マスコミのワクチン推進に関しては、番組のスポンサーに製薬会社の多いことが一因になっているのかもしれないが、それだけでは納得し切れない、何か黒い影をその背後に感じざるを得ない。

今回の歪曲報道を経験して、結婚前に出演したテレビ番組「中山秀征の写せっ！」でのやらせの記憶が蘇った。

それは勝ち抜きカメラマン合戦のような番組で、予選を勝ち抜いたカメラマンがスタジオに行くことができ、私を含めた予選通過者が控室で出番を待っていると、奇抜な格好をした、明らかに仕込みと分かる人物が番組関係者と一緒に入ってきた。「こちらでお待ちください」という感じで。

収録中も、素人である我々には番組スタッフから「こう言って欲しい」とセリフに関する指示が飛ぶ。番組を面白くしたり、シナリオ通りに番組を進めるためだ。

ちなみに先程の仕込みの人物は、出場者の持参した自慢の写真で15人から6人に絞る1次予選をやらせでくぐり抜け、当日のゲストの岡本夏生 とお揃いのパンツ（仕込みだからこそできること）を中山秀征にいじってもらったのがほとんど唯一の見せ場で、瞬時に状況を判断して素早く写真を撮るゲームの2次予選であえなく敗退した。ここまでのお役目だったのだろう。

ちなみに私はこのゲームをトップで突破し、最後の岡本夏生の激写に進出する3人の中の1人となった。岡本夏生を撮った写真を各自が1枚選び、タイトルをつける際も、制作者側の考えたタイトルを言うように指示された。「私、組長の女よ。それでもいいの？」という気恥ずかしいものだ。

「中山秀征の写せっ！」の1シーン

結局**テレビも新聞も、彼らが作りたいように番組や記事を作るだけで、事実を伝えようとの信念などない**、同じ穴のむじななのだ。

マスコミの作為的な報道姿勢は、第1章の冒頭でも書いた、2023年5月15日のNHK「ニュースウォッチ9」の捏造報道が国会でも批判された。

この取材動画を流すに当たり、**NHKはコロナワクチン被害者遺族による「繋ぐ会」の遺族3人に取材しておきながら、「ワクチン」という言葉を一言も出さずに、まるでその遺族がコロナで亡くなった方の遺族であるかのような悪意のある歪曲報道を行なった**のだ。これは私がこれまでに見た中で最悪の捏造報道、歪曲報道であり、「編集上のミスでした」では済まされるはずもない、放送法に完全に違反した犯罪行為である。

インタビューを行なった担当者は事実を伝えるつもりで取材したのにも関わらず、何者かの意向を汲んだ上層部があり得ない歪曲報道に手を染めてしまったのだろうか？

この放送の目的は、おそらくこれまでのマスコミ各社の報道姿勢そのままに、「コロナは怖い、ワクチンは安全で有効」というメッセージを念押しして伝えることだった。そこにワクチン遺族のインタビューが入る余地は本来はないはずだ。当初は、上層部の意向を知らない担当者が勇足をしたのか、それとも当初はワクチン被害を認めるつもりだった上層部が突然、心変わりしたのかのいずれかではないかと思っていたが、内部告発らしき情報が出て来た。それによると、**元々ワクチンに触れる予定のないVTRを作る予定だった**という。若手の担当ディレクターは、見付けるのが難しいコロナ被害者遺族を探すことを早々に諦め、その代わりに、遺族会が作られていて手っ取り早く取材対象を確保できるコロナワクチン被害者遺族へのインタビューを編集してコロナ被害者遺族のように見せることを選択したと言うのだ！　おそらくネットに公開された繋ぐ会が録画していた、収録時の動画での質問内容を見ると、この内部告発が正しいように見える。

これが事実であれば、ワクチンに一言も触れずにコロナの３年間を振り返ることを決めた上層部も問題だが、被害者遺族の心情を平気で踏みにじった担当ディレクターは血も涙も人間の感情さえ持たない人物としか思えない。とても人間にできることではないと感じる。一方で、会社の方針に不満を抱いていたディレクターが、炎上狙いで意図的に行なったことではないかとする説もあり、真相は不明である。

悪質な捏造報道を行なったNHK「ニュースウォッチ９」の一場面

関連して面白い現象が起きている。これまでNHKと同様に悪質な偏向報道を行なってきた読売新聞や朝日新聞までが、一斉にNHK批判に参入してきたことだ。「おいおい、どの口が言う？　よく書けたものだ」とツッコミを入れたくなる。自分たちの偏向報道レベルは許されて、NHKのものは偏向の限度を越えているとでも言うのだろうか？

このNHKの報道に対しては、多くの国民から抗議のメールや電話が殺到したようで、繋ぐ会の代表の鵜川氏からの抗議もあって、翌日のニュースウォッチ９で簡単な謝罪があったが、ネットは炎上して、直後に国会で追及されている。

**「コロナで家族を失ったように放送」　NHKのVTRに遺族が反発**

NHKの報道番組「**ニュースウオッチ9**」（総合・夜9時）で放送された新型コロナウイル…

朝日新聞デジタル エンタメ総合 5/16(火) 16:00

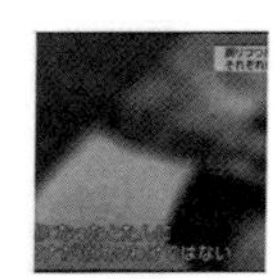

**ＮＨＫニュースウオッチ９、ワクチン接種後死亡をコロナ感染死のように紹介…ツイッター…**

１５日夜の「**ＮＨＫニュースウオッチ９**」で、新型コロナウイルスのワクチン接種後…

読売新聞オンライン エンタメ総合 5/16(火) 15:45

朝日新聞と読売新聞が天につばを吐くかの如き NHK 批判

全国放送を行うテレビのキー局が軒並み偏向報道をする中、唯一奮闘しているのが名古屋のローカル局、CBCである。番組「チャント！」の中の「大石が聞く」と呼ばれるコーナーで、アナウンサーの大石邦彦氏がコロナワクチン被害者を自ら取材し、その被害実態を真正面から受け止め、継続的に伝えてくれている。

このコーナーはユーチューブでも配信されており、大きな反響を集めている。大手マスコミの報道に疑問を感じている人が想像以上に多いことを感じさせる。「新型コロナワクチンの光と影」(方丈社)という本にもなっているので、ぜひ目を通して欲しい。

【第３章】

# 「陰謀論」という言葉が生み出した被害者たち

ブラックジャックによろしく／佐藤秀峰　※本書内容と同作品、佐藤氏は無関係です。

## 「陰謀論」という言葉が多くの被害者を生み出した

「陰謀論」という言葉は極めて多くの被害者を生み出している。

被害者には2種類ある。

1つは、真実に貼られた「陰謀論」というレッテルに騙され、真実に触れることを妨害されている大多数の人々。もう一つは、真実を伝えているにも関わらず、それを「陰謀論」としてデマ扱いされ、社会から阻害されている人々である。

マスクやワクチンに関して、一般市民の大多数は、その必要性や危険性を自ら調べようともせず、政府やマスコミの言う通りに、マスクを3年に渡って着け続け、ワクチンを打った。それは、私のようなコロナ懐疑派の市民が「陰謀論者」扱いされ、その主張には根拠がないと思い込まされたからではないだろうか？

私はコロナの真実を伝える活動をしているので、コロナに限らず世の中の真実に気付いている仲間を数多く知っている。その中には、家庭や親戚、友人、職場の同僚や上司との間で、意見の違いから気まずい雰囲気になったり分断が起きてしまっているケースや、真実を伝えようとしたことで、酷い仕打ちに合わされたケースを数多く聞いている。

・「自分はワクチンの危険性が分かっていて打っていない女性の旦那さんが、仕事の都合でシンガポールでの会議に行くことになり、そのためにワクチンを2回打たなければならなくなった。彼女は一生懸命説得したが、「仕事だから仕方がない」と言われ、彼女は旦那さんがワクチン死、あるいは重い後遺症を抱えることになることを覚悟した上で受け入れた」（事務、40代、女性、東京）

・「娘からはワクチンを『絶対に打たないで！』と言われていたが、何となく2回目まで打った。しかし仲間がワクチン後に急死して怖くなり、最近は真剣にネット情報も読むようになったが、2回打っ

てしまっているので不安」（マスコミ、50代、男性、関西）

・「ワクチン危険論は知っていたが、海外旅行のために止むなく打った。職場では強制なしで自己判断だが、職場でワクチンの是非の話題はタブー扱いだ」（都心勤務、男性、40代）

・「宮庄さんの前作、コロナ紙芝居の読者です。押し付けにならないように医院の受付横にコロナ紙芝居を置いて広報しているが、大きな病院だと絶対にできない。ワクチンを強制された看護士らが可哀想」（医療関係者、男性、中部圏）

・「コロナワクチンの接種が始まった際、私は「一度身体に入れたらもう元には戻れないから、まだ結果の分からないワクチンなんて打たない」と宣言をしたところ、夫と成人している息子は打たなかった。しかし、私の両親は私がいくらネットで調べたと言っても、ネットは怖いものだしウソばかりだと決めつけていた。母とは「娘の言葉とTVの言葉どちらを信じるんだ」と毎日のようにバトルをしてようやく説得、しかし父は私に内緒で予約を取っていた。後で母に聞いたら「（父が打ったのは）2回だけよ」と言っていたが、最近になって父がこっそりと4回打っていたことが判明した」（パート、50代、女性、神奈川県）

これらのケースでは「陰謀論」という言葉が必ずしも使われたわけではないが、マスコミが執拗な偏向報道で作り出した「コロナは怖い、ワクチンは安全で有効」との印象操作が、我々の伝えるコロナの真相に「陰謀論」のレッテルを貼り、異論を許さない社会の空気を醸成し、実際には正しい情報を持っていた我々からの情報を遮断したのは間違いないだろう。

コロナに関する真実を伝えようとしたことで酷い仕打ちに合わされたケースに関して、何人かの方に体験談を語ってもらったのでご紹介する。募集に応えてくれた方が全員女性だったのは、接客業などの対人業務が多いことと、女性に多い非正規雇用で立場が弱いことが関係するのかもしれない。

**体験談1.「ノーマスク保育を主張し、幼稚園で担任を外された」**
**…O. A. さん（50代、女性、自営業、山梨県）**

コロナ騒動が始まった2020年1月。

私は某私立幼稚園の年長組担任でした。

日々のテレビのニュースに翻弄され、未知なるウイルスを恐れて職員みんなが警戒しながら保育に当たっていました。

そして3月ついにロックダウン。5月いっぱいまで幼稚園は休園となり職員は自宅勤務になりました。

自宅勤務といっても保育ができなければ大した仕事もなく、毎日布マスクを作って家族や友人に手渡していました。

そんなとき、Facebookを眺めていてふと目に止まったのがドイツ在住のユーチューバー、メイコさんの投稿記事でした。

最初はDSだとかアドレノクロムだとか何を言っているのかわかりませんでしたが、そのページの画像が私の好きな映画「マトリックス」の一場面で、モーフィアスが二つのカプセルを手に乗せているものでした。それを見て感覚的に「ああ、もしかしたらこのコロナ騒動は虚偽で、作られた世界なのかもしれない」と思い立ち、他のSNSも徹底的に調べるようになりました。

そこで知った事実は

1 マスクにはウイルスを防ぐ効果はない。
2 PCRを開発したキャリー・マリスは、この手法をウイルスの特定に使ってはならないと主張していて、なぜかコロナ騒動が始まる直前に亡くなっている。
3 新型コロナウイルスが存在することを証明する文書はどこにも存在しない。

といった事でした。
そしてついにはこの一連の嘘報道は全て、国民を恐怖に陥れ、マスクで思考を奪い、治験が終わっていないワクチンを国民に打たせるためのものだと気が付きました。

幼稚園が再開した2020年6月、職員会議の場で、「新型コロナは決して怖い感染症ではないこと」「マスクの常時着用は百害あって一利なしだということ」「特に幼児の着用は健全な発育を阻害しコミュニケーション能力の低下につながること」「PCR検査はそもそも死んだウイルスの死骸にも反応するため、特にCt値45などで増幅すれば高確率で陽性になる詐欺のような検査であること」を伝えました。
一人ひとりに資料を用意し、大事な箇所にマーカーも引きました。しかし誰一人反応を示す職員はおらず、「テレビでは今朝も感染者数が過去最多だ」と言って全く相手にされませんでした。
面と向かって「陰謀論者」とは言われなかったものの、「あなたはそういう考えの人なのね」という目で見られるようになりました。
その後も根気強くワクチンの危険性についてメールを送ったり、分かりやすく説明しているYouTubeの動画を送ったりしましたが、感想を返してくれた職員は一人もいませんでした。
当時、私はノーマスクでも特に面と向かっては何も言われませんでしたが、職員会議などでだんだん異様な空気になって来ているのに気が付き、嫌な予感がして世田谷の豊受クリニックへ行き、健康上の理由でマスクができないという内容の診断書を書いてもらいました。
診断書を理事長に提出した上で、子どもたちに対しては表情が見えるように透明なマウスガードを着用して保育をしていました。
2021年、新しい年度を迎え再び年長組の担任に決まると、早々に理事長から呼び出しを受けて、「他の職員や子どもたちを危険に晒すわけにはいかないからマスクをして欲しい」と要請がありました。さらに「子どもたちにもマスクを着けさせ、歌う時もマスクは外さないように」とまで指示されました。

その時点では完全にコロナ騒動は茶番劇だと理解していた私は断固拒否。こんな馬鹿げた陰謀で子どもたちを犠牲にすることは絶対にできないと心を決め、当時広島県呉市市議会議員だった谷本先生発案の「ノーマスク宣言書」を提出。すると理事長が血相を変えて激しく攻撃を仕掛けてきました。

理事長に呼び出される毎日の中で、発言すると「こちらに顔を向けるな！」と怒鳴られることもありました。

そして「訓告処分」なる書類を一方的に押し付けてきて、ついに9月30日をもって私を担任から外す処分が下されました。

私は人権侵害と不当処分を訴えて全国から584名分の署名を集めて提出しましたが、理事長はただ受け取っただけで、事態は好転しませんでした。

10月1日より別室で保育ではない事務作業を一人でさせられ、子どもたちの声は聞こえるのに会えない日々が続きました。園児が帰った後は職員会議に参加するのですが、みんなが子どもの話で盛り上がる時に私だけ村八分の状態でも誰も気にかけてくれない現状に頭がおかしくなりそうでした。

そしてついに11月6日の真夜中、トイレに立つと意識を失い廊下に倒れて救急車で運ばれることとなりました。ストレスから来る帯状疱疹由来の急性神経痛はその後1年以上続きました。

幼稚園の事を考えるだけで過呼吸になり、冷や汗が滝のように流れ、12月からは休職。このままでは命に関わると思い、環境を全て変える決心をして次男とともに埼玉から山梨に移住しました。同じ志を持つ人が集まるコミュニティが既に立ち上げられていて、その中のフリースクールに次男を入学させるためです。

そのフリースクールでは講師も生徒もマスクせず、これまでに新型コロナと判定された人は一人もいません。

振り返ってみて強く思うことは、真実や正義がマイノリティだった場合、一人で孤立してはいけないということです。デモやSNSのオフ会などで同じ想いを持つ人間とリアルに交流しなければ、とても今の私は存在し得なかったと思います。心と身体が密接に関係していることも身をもって体感しました。

この体験を無駄にせず、真実を一人でも多くの人に伝えて行きたいと思っています。

### 体験談 2.「ワクチンの危険性を訴えたら家族・親戚に絶縁され、母の葬儀にも出られず」　…Y. H さん（60 代、女性、僧侶、栃木県）

私は僧侶で元地方議員。現在は地方公務員の民生委員・児童委員で、コロナワクチンに反対する僧侶による全国有志僧侶の会の理事です。

インチキ PCR 検査やコロナワクチンの危険性を家族や親戚に訴え続けた結果、1 人を除き全ての者たちと絶縁となりました。

数年前に私は実母の介護をしていました。仕事と介護の両立はハードなものでした。

介護は家族で順番制で行なっていました。

私は片道 3 時間掛けて、週に一度、母の元へ通いました。

ある日のこと。

兄「PCR 検査を受けてから家に入ってくれ」
私「インチキ検査を信用してどうするの？・・・」
兄「コロナワクチンを打たないなら、この家の出入りを禁止する」
私「コロナは茶番でワクチンは危険で・・・」
兄「陰謀論はたくさんだ！　迷惑なんだよ！感染したらどう責任を取ってくれるんだ！　帰ってくれ！」

それから数か月後に母は亡くなりました。

ワクチンを打っていないことで通夜、葬送儀礼にも参列させてはもらえませんでした。

母の生前の夢は、「私（母）の葬儀はあなた（私）にやってもらうことだからね」でした。

通夜が始まる時間と葬送儀礼の始まる時間に私は一人で母を見送るお経をお唱えしていました。

あれから年月が経ち、家族や親戚の体調不良や死亡の話が伝わってくるようになりました。

このような悲劇は私だけではありませんでした。私が担当した葬儀でもそれはありました。家族間での見解の違いから、大切な人とのお別れも叶わない人たちがいました。

陰謀とは計画（プラン）のことです！陰謀論とは分けて考えなければいけません！今回のパンデミックはプラン（計画）デミックと言われています。それを知っている人は少ない。目覚めよ、日本人！

**体験談 3.「子どもにノーマスクで接すべきと主張し、職場で干された」**
**…M. A. さん（40 代、女性、ショップ店員、東京都）**

私は、自分の住んでいる街で子育て支援の仕事をしていました。

私の所属する NPO 法人が市からの委託を受け、高齢者施設を借り、地域の未就学のお子さんと保護者の方が集えて、施設の高齢者とも触れ合える場所を提供しています。私はそこで、子どもたちに絵本を読んだり歌を歌ったり、保護者さん達の相談役などをしていました。

そんな中、コロナ禍に突入。

学校が休校になり、これはとんでもないことが起こった！　と毎日テレビにかじりついて、情報を追っていました。

色々な事が中止になり、子ども達が不憫で胸を痛めていました。当時、息子は小学６年生で間もなく卒業。息子と中学校は別々になる子、遠くへ引っ越す子、そんな毎日会っていた仲間との最後の時間も奪われて、複雑な気持ちでいました。

親である私たちも１年間かけて準備してきたイベントや、定期的に開催してきたものも中止に。「でも仕方がない」。納得はできませんがそう思い、涙を呑んで日々を過ごしてきました。
マスクに予防効果があるとテレビでは流れ、驚く事にマスク不足からマスクが世の中から消え、マスクを作る材料すら品切れ。そしてアベノマスクに多額の税金が使われることに…。今思えばおかしなことばかりでした。

その次はワクチン。
緊急事態だからと、特例承認された、まだ臨床試験中のワクチン。「さすがにみんな治験は怖いよね？　体に入れないよね？」と思っていて、情報があれば職場のグループLINEにお知らせをしていました。
そんな中、代表から「ワクチン接種についてはそれぞれの事情や考え方があると思いますので、個人の判断が尊重されることを望んでいます」とメッセージが送られてきました。「もう情報をラインに入れるな」との意図を感じました。
そのうちに、私の職場は市や行政から事業委託をされていることもあり、仕事中はマスクをするようにと指示が出ました。ただ、私も誰かに嫌な思いをさせたい訳ではないし、迷惑も掛けたくないので、疑問は抱きつつも、マスクは常に着用していました。
何年も前から研修では、「赤ちゃんや子供は、大人の表情を見て色々と学び、真似っこをして、成長します。余程のことがない限りマスクはしないでください」と教わってきました。事あるごとに、「表情の見えなくなるマスクはしないでください」と教わったため、花粉症だった私は、自分がマスクをしていたことで関わる赤ちゃんに悪影響を与えてしまっては大変と、花粉の時期もマスクはせず、表現豊かな表情を心掛け、またそれを武器にお子様達と関わり合ってきました。
その頃、同時に我が子が通う小学校でのマスク強要もひどいなと感じ始めていました。どうしてこんなに全体主義なんだろう？
感染対策は手探りとはいえ、こんなにも従順に従うことが美徳になってしまっていないか？

テレビでは毎日毎日コロナは怖いものと報道し、マスクをしていることによる有害事象等は一切報道されず、サブリミナル効果や刷り込み洗脳とも言えるワクチンへの誘導もひどいものでした。

超テレビ大好きだった私は、テレビを見るのをやめました。

職場の代表や幹部クラスに話を聞いて欲しかったので、当てにならないテレビや新聞ではなく、専門家やお医者さんの本を図書館で借りてきたり、いろいろ調べた上で、「子どもたちの健やかな成長と健康に関わることは大切なことなので話を聞いて欲しい」と、話し合いをすることになりました。

色々話をしました。マスクは有害なこと、子どもたちは大人の表情を見て学んでいること、大人が嬉しい顔すれば嬉しいし、泣いている顔を見れば悲しい。そういうコミニケーションが、感染対策よりも大事ですし、マスクの網目とウイルスのサイズがそもそも、サッカーゴールの網目とパチンコ玉の比率。科学や医学に基づくいろいろな資料もお渡しして、お話しさせてもらいました。

代表たちからは、「言いたい事はわからなくもないが、許可はできない」「そんなにノーマスクでやりたいなら、あなたが別で、あなたの責任でやればいい」と言われました。

代表、幹部クラスのみなさんはお子さんが成人している先輩ママさん達です。「グループ LINE に情報を入れるのをやめて欲しい」とも言われました。ワクチンに関しても、私の話は「世の中に出ている話と掛け離れている」と。自分で調べもせず、「陰謀論でしょ」と言いたいのでしょうか？　上に立ち、責任ある代表の発言に心底がっかりしました。

「私は、どう思われようが構いません。子どもたちの健康と命に関わる事ですので」と伝えると、「どう思われてもいいような人の話、奇人変人、陰謀論みたいな話しじゃ誰も信用してくれない」とまで言われました。彼らの人柄がよくわかった３年間でした。

私はその後、「コロナ禍で利用するご家族が少ないのでスタッフを削ります」と言われて徐々にシフトから外され、今は全く仕事には入っていません。いつの間にかいなかった人になり、事実上のクビのようなものです。

これからも子どもたちには、「与えられる事を鵜呑みにせずに、自分の頭で考え、思っていること、感じたこと、自分はどうしたいのかを表現していいんだよ」と伝えていきたいです。

これが「陰謀論」という言葉を知らなかった私の身に起こった、「陰謀論者」とは私のことだったのだ、という体験です。

**体験談 4.「職場でノーマスク宣言するも拒否され退職」**

**…K. M. さん（50代、女性、自営業、神奈川県）**

食品関係の通販の梱包のバイトをしていた 2021 年 8 月末、職場でマスクは鼻まで覆うよう言われました。それまでにマスクやワクチンの危険性を上司に資料を渡して伝えて来ていた矢先でした。

職場環境上、数年に渡って頻繁に熱中症になり、ひどい嘔吐と下痢を繰り返し、梅雨から 11 月の暑い頃まで欠勤を繰り返していたので、健康上鼻まで覆えないと伝えました。本社から、「鼻まですると作業がキツイというだけでずらしていい理由にはならない。従えない場合は別途対応を取らなければならない」と返信が来たそうです。

最初は上司に伝えても嫌な顔されるだけ。PCR 検査を受ける際に陽性にならないためのコツを伝えると、「それじゃイカサマだ」と怪訝な態度で煙たがられるだけでした。しかし何回か資料を渡して伝えていく内に、なぜコロナで一連のことが起こってるのかは理解してもらえましたが、「立場上自分は接種しないといけない」と胸の内を明かしてくれました。

上司が 2 回目接種後 2 週間もしない内に、上司が接していた本社社員が陽性になり、上司も無症状で陽性になりました。接種したのに陽性。みんなそのおかしさに気づいていませんでした。接種したから軽くて済んだという認識なのかもしれません。

全国の子どもたちが学校でノーマスク宣言（学校で子どもがノーマスクで過ごせるようにするための手法で、呉市議の谷本誠一さんが確立した）をしていたのを知っていたので、谷本市議に連絡を取り、書類等ご教示頂き、9月、社会人初のノーマスク宣言をしました。

その日は上司が休みで他の社員しかおらず、とりあえず別室で一人作業となりました。翌日の出勤前に上司から電話があり、着用できないならと自宅待機を命じられ、「会社側にも弁護士がいるので、闘うつもりなら裁判になる」と言われました。

最終的にマスクについては上司から、「みんな怖がって避けている、とクレームが来ている！」と言い放たれ、バイキン扱いをされました。実際はマスクを苦しいと言ってる人もいたし、「陰謀論」と呼ばれることもある正しい情報を得ている人もいることを知っていたので、上司の言い分はハッタリだと思いました。

月曜朝に電話があり、健康のため鼻まで覆えない旨を伝えると、その週は自宅待機するよう言われ、金曜に人事部の人間が来るので、出勤日ではないが話し合いに来て欲しいと。人事部が連れてきた会話の主導者と私の施設から二人の計四人が、私を取り囲むように透明のパーテーションで遮り、遠くに着席。「会社としてはマスクをすることが安全な環境を作ると考えているので、エビデンスや有効性云々ではなく、世の中の風潮に則って着用してもらいたい」「それを理解し勤務できるかできないかの二択しかない」「ノーマスクで勤務できる職場をご自身で探されたらどうか？」「ルールを守れないと集団生活はできない」「今回の業務命令が法律に違反している認識はなく、無理難題ではなく例外はない」とどこまでいっても平行線。
マスクの有効性を科学に基づかないで風潮に従って判断？ 業務命令は憲法や法律の範囲内で定められるものであることを知らないのでしょうか？
鼻まで覆うと呼吸が苦しいと言ってるのに、それは理由にならない？
酸素がちゃんと吸えないから体調悪くなると言っているのに殺す気ですか？
「アトピーが酷い子も先日やっと着用を受け入れた」とも言われました。ツッコミどころ満載なのに、本人たちは真剣そのもの。
最後に、口頭説明したことの確認のサインを求められましたが、持ち帰り郵送させてもらうことにしました。谷本さんに確認すると、これは「指導書」としているが、「適切な着用」としか記されてなく、「口頭だけの説明で誤魔化し、業務命令とするパワハラだ。返信するな」と言われました。

私は今回の件はマスク着用の強要罪に当たるのではないかと思い、これらの録音、やり取りした書類などを持参して労基署、法務省の電話相談、警察署に行くも、警察にはこれらを強要罪とは認識しないと言われました。身体的暴力が伴わないと強要罪に当たらないとのこと。
「そんな会社のために時間と労力とお金を使う必要はないのでは？」と、私より若い婦人警官に言われたのが腑に落ち、結局こちらから退職しました。

後に、武漢ウイルスワクチン特例承認取消等の訴訟、第一回口頭弁論で原告側弁護士が法廷から警備員たちに抱えられ、廊下にいる見学者たちの面前で投げ飛ばされたのを見たときに、これが行為を伴う強要罪なのだな、と認識しました。
通販だけでなく全国的に店舗を持ち、海外進出もしている◯◯商店に対しては、小さな抗議ではあるが、以降不買を続けています。

【コラム1】

**▶私の好きな真実暴露系ユーチューバー** その1

## アキラボーイ

コロナ騒動が始まってからスタートしたアニメシリーズ「コロナティーナの大冒険」は、コロナ騒動のおかしさを取り上げることでスタートし、現在はその他のテーマに移行しています。

登場人物（動物）のイヌスケとタヌキチのしゃべり方とセリフが絶妙で、大笑いしながら何度も見てしまいます。

以下、これまでに発表された作品の主なもののリストです。

#1 ちゅうしゃって変だね

#2 2かいめのあれw

#3 3かいめのあれw

#4 それほうそうきんしだよw

#5 よわいのにつよいびょうき?

#6 せんそうはしないけど武器はめっちゃ買う犬

#7 世界一わかりやすい憲法改正アニメ「こんな憲法はイヤだw」

【第4章】

# 権力者に騙されないために
## ～正しい情報の取り方

ブラックジャックによろしく／佐藤秀峰　※本書内容と同作品、佐藤氏は無関係です。

## 正しい情報を取ることの重要性

第2章でマスコミの偏向報道の実態を見て来た。

私は報道された家庭の当事者なので内容が歪められていることに気付くが、一般の人であれば、違和感なく見てしまう人が多いのではないだろうか？

私の場合、読書を中心とした研究と、コロナ騒動において関連情報を調べまくった経験から、どこに正しい情報があり、どのようにすれば正しい情報が取れるかを自分なりに理解しているつもりだ。また、カメラの開発に携わっていた経験から、間違った情報に基づいて設計してしまった場合の悲惨な結末は何度も経験していたので、情報の精度の大切さは身に染みて分かっている。

**正しい情報の取り方を知らないと**、間違った知識、認識によって**世の中が“歪んで”見えてしまう**ので、正しい情報を入手することは我々の人生において極めて重要なことなのだ。

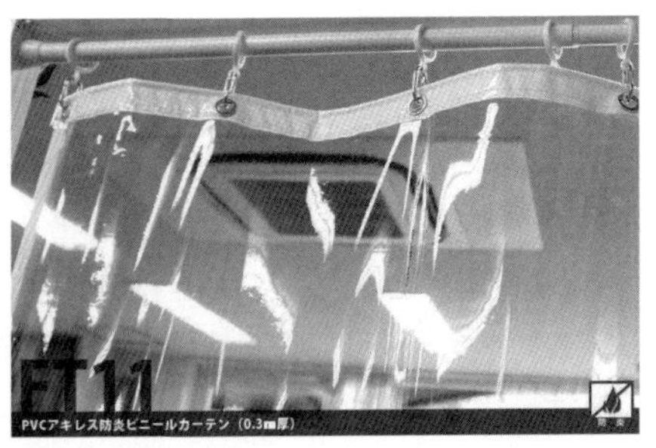


正しい情報を取らないと、まるで感染対策ビニールカーテン越しの景色のように世の中が歪んで見える

## 大学での講義内容

そんな私に、とある大学教授から、授業の一環として、ネットでの正しい情報の取り方について学生からインタビューをさせて欲しいと

の依頼があり、インタビューの前に30分ほど講義をしたことがある。

それはあくまでネットでの情報の取り方に絞って話したつもりであったが、実際にはネット経由で世の中のあらゆる情報を取る際にも使えるものであったので、その講義内容をベースに正しい情報の取り方について私の考えを述べる。

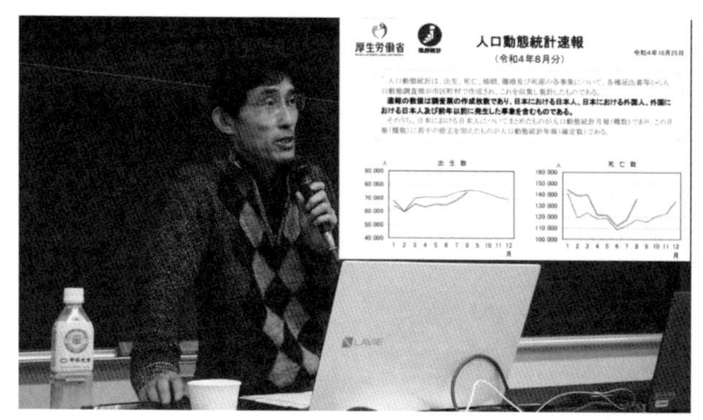


大学での講義の様子

## 1.検索エンジンによって違う世界が見える

私のように本気で真実を追求している人間と、そうではない一般的な人とでは見ている情報が恐らく違う。なぜなら、**検索エンジンによりフィルターの掛かり具合が異なる**からだ。グーグル検索(検閲あり)とDuckDuckGo(コロナ開始時は検閲なしだったが2022年3月から検閲が始まった)とでは検索結果が全く異なる(具体例として「ビル・ゲイツ」で検索した結果を見せた)。

現時点では、検閲のない検索エンジンとしては、Presearch、Brave、Ecosiaが使えそうだ。

## 2.ニュースの情報が正しいとは限らない

日本は新聞やテレビなどのマスメディアを信頼する国民の割合が他国と比べて異様に高いが、ニュースで流れる情報が正しいとは限

らない。なぜなら、

① 民放の場合、スポンサーの意向に沿わない報道はできない。
② 中国政府の意向に沿わない報道はできない（中国特派員を置けなくなるため）。
③ 政府による干渉がある。

からである。

①に関して言えば、テレビ局にお金を払っているのはスポンサーだ。スポンサーが付かなかれば番組を作ることができない。スポンサーの気に入る番組でなければスポンサーは金を出してくれない。従ってテレビ局は常にスポンサーの顔色を疑い、**スポンサーに都合の悪い番組を作ることができない。**

製薬絡み、医療関係のスポンサーの番組であれば、PCR検査がデタラメであるとか、ワクチンには効果がないばかりか危険極まりないものであるとは言えない。例え、その番組に製薬会社のスポンサーが付いていなかったとしても、製薬会社にとって不利な内容の放送をすれば、「お前の局の番組のスポンサーは二度とやらないぞ」と言われかねないので、**局が使っているすべてのスポンサーにとって不利益になる放送はできない**であろうことは容易に想像が付く。

②に関しては、「これでも朝日新聞を読みますか？」（山際澄夫著、ワック刊）の79ページ以降に以下のように書かれている。

「日本の新聞が中国で、戦後ジャーナリズムの恥部と言われるほどの偏向報道を行なったのは、特派員を送るために中国の気に入らない報道はしないという条件を飲んだことがきっかけだった。

北京に日本の新聞、テレビ計9社が常駐を認められたのは1964年のことである。

ところが2年後に文化大革命がはじまり、中国は翌年から日本のすべての記者を呼び出し、朝日新聞を除く各社の記者を次々に追放して行った。理由はいずれもささいなことで、例えば産経新聞に対する容疑は「毛沢東の似顔絵を新聞に載せた」というものだった。

そのときに中国が日本のメディアに突きつけたのが、

**a. 中国敵視政策を行わない**

**b. 2つの中国をつくる陰謀に加わらない**

**c. 日中国交正常化を妨げない**

の「政治3原則」だった。

産経を除く各社はこれを受け入れ、その後、1974年ごろまでの間に相次いで再入国を許されたが、そのことが日本のメディアの中国報道の偏向に繋がったのである。

文革では中国国内は大混乱に陥り、二千万人が虐殺されたと言われている。しかし朝日新聞をはじめ日本の新聞には「本当の共産主義が始まった」と礼賛するような知識人の見解や報道が踊った。」

③に関しては「スノーデン 日本への警告」(エドワード・スノーデン著、集英社新書、2017年)で言及があるので引用する。

「今、日本のプレスは脅威にさらされています。(中略)テレビ朝日、TBS、NHKといったような大きなメディアは、何年にもわたって視聴率の高い番組のニュースキャスターを務めた方を、政府の意向に沿わない論調であるという理由で降板させました。

政府は自分たちの持つ地位と権力を理解しています。政府は放送法の再解釈を通じてプレッシャーをかけています。政府はあたかも公平性を装った警察のようにふるまいます。「この報道は公平ではないように思われますね。報道が公平でないからといって具体的に政府として何かをする訳ではありませんが、公平でない報道は報道規制に反する可能性がありますね」などとほのめかすのです」。

以上①〜③の制約でがんじがらめにされており、自由な報道ができないのが日本のマスコミの実態のようだ。

## 3. 一次情報を取るのが基本

一次情報とは、自分が体験したり、実態調査、アンケート調査、実験などをして得た情報のこと。一次情報の発信者まで辿ることが重要だ。誰かの書いた結論だけを引っ張って来たような情報では信憑性を確認できない。**必ず一次情報まで辿り、根拠のあるものかどうかを確認する。**

私自身もさぼってやらないことがあり、中々骨の折れる作業ではあるが、非常に重要なポイントだ。要は自分で「事実だ」と確信が持てるまで徹底的に調べるのとほぼ同じ意味だ。

## 4. 国の出す情報が正しいとは限らない

日本人はマスコミの情報と共に政府の出す情報も信用する人の割合が異常に多いが、簡単に信じてはいけない。なぜなら国は嘘をつくからである。(「政府は必ず嘘をつく」堤未果著、角川新書参照)

2021年6月24日に、高橋徳米ウイスコンシン医大名誉教授などが、新型コロナワクチンの接種中止を求め、医師210名、歯科医師180名、議員60名他計460名の署名を厚労省に提出すると同時に記者会見を行なった際には、これを牽制するかのように、当時の河野ワクチン担当大臣（以下河野大臣）は自身のブログに「医師免許を持っているにもかかわらずデマを流す人もいる」と書いた。また、7月2日に公開された、河野大臣とユーチューバーのはじめしゃちょーとの対談（政府側のプロパガンダ目的で設定されたもの）で河野大臣は、「10月、11月にワクチンを打ち終わると（感染は）かなり落ち着く」「アメリカでは2億回ほどワクチンを打って死者はゼロ」と言ったり、その後も「妊婦へのワクチンが有害」とする意見に対して「全くのデマ。これまでのあらゆるワクチンについて、ワクチンを打って不妊になったことはない」と断言している。しかし妊婦へのコロナワクチン接種により死産・流産が多発していることは、すでに各国のデータとしてどんどん表に出て来ている事実である。

また、河野大臣は自身のブログに、ADE（抗体依存性免疫増強：ワクチンによって作られる抗体が逆にウイルスの感染を増強する現象）の可能性を指摘する意見を「新型コロナウイルス感染症のワクチンに関するデマ」の１つとして紹介し、「新型コロナワクチンに関して、ADE の可能性は考えにくいとされています」と明言している。しかし、これを否定するような発言が、第 76 回厚生科学審議会予防接種・ワクチン分科会副反応検討部会（2022 年 2 月 18 日）で委員などからされている。

- 濱田委員：「疾患増強（ADE のこと）をメッセンジャー RNA ワクチンが起こすかもしれないという危惧があった。」
- 厚労省事務局：「疾患増強に関して当初議論があったのはもちろんだ。」

ワクチン接種の中止を求める「新型コロナワクチンに警鐘を鳴らす医師と議員の会」（代表・高橋徳氏）は国会内で会見した＝24日、東京都千代田区

ワクチン接種中止を求めた記者会見のニュース（サンスポ）

これらの発言や認識を知ってか知らずか、河野大臣はコロナワクチンの危険性を否定する発言を繰り返しているのだ。

このように政府は自分たちの都合でいくらでも平気で嘘をつくものなのである。

１つ、面白い例を上げる。

「北朝鮮脅威論 / 北朝鮮がミサイルで日本を狙っている」という噂だ。

これを政府が主張し、軍事費を増額しなければならない理由の一つとして活用し、Ｊアラートなるものまで作り、北朝鮮がミサイルを発射したとの想定で、みんなで机の下にもぐるという実に馬鹿馬鹿しい訓練を国民にさせている。

しかし実際には北朝鮮の核戦力は、日本の仮想敵国である中国・ロシアにはるかに劣り、一方で金正恩は150カ国以上と通商条約を結び、莫大な投資マネーが欧米やアジアや中東の各国から流れ込み、日本とアメリカが彼らの核開発を援助し、各国と非常に仲良くやっている国なのだ。実際は北朝鮮を恐れる必要など全くないようだ。(参照「北朝鮮のミサイルはなぜ日本に落ちないのか」秋嶋亮著、白馬社刊)

この「北朝鮮脅威論」は、言ってみれば日本政府発の「陰謀論」ではないのか？　政府が言い出せば、いかに根拠がなくても真実のように扱われてしまうのである。

こうして考えると、「陰謀論」の定義も怪しくなって来る。**情報の出所が民間なら「陰謀論」で、出所が政府や公的機関なら「事実」になってしまう**のだから。

## 5.統計データには信用できるものとできないものとがある

人間は不思議なもので、グラフが見た目きれいにまとめられているのを見ると、内容まで正しいものに感じてしまう特性があるように思う。身なりのきれいな人を見ると、中身まで立派な人と思ってしまいがちなのと似ている。

しかし、グラフの見栄えと中身の正しさは全く何の関係もない。そして、統計データには信用できるものと、簡単に信用してはいけないものとがある。

例えば、総死亡者数は信用できるが死因別死者数は信用できない。死亡者を隠して死んでいないことにすることは難しい。いくつもの統計の間で矛盾が生じてしまうからだ。一方で死因は医者が死亡診断書にどのように書くかだけの話なので医者の一存で操作できる。医師会に属する医者であれば医師会からの圧力があれば死因の操作が起きる可能性はあるはずだ。

コロナに関して言うと、厚労省は２度に渡ってデータの改竄とも言える印象操作を行なっている。いずれも、「簡単には信用してはいけない種類のデータ」であるということだ。これは (4) の「国の出す情報が正しいとは限らない」にも当てはまる事例である。

１つ目は、ワクチン接種後の心筋炎の発症割合と、コロナに感染した時の心筋炎の発症割合を比較したデータである。

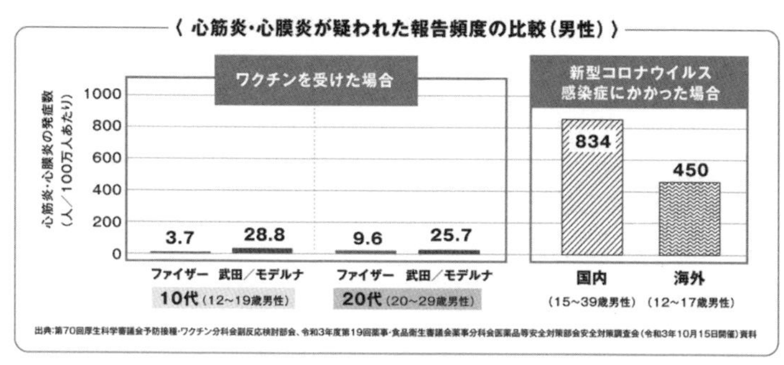


厚労省が発表したコロナ感染とワクチン接種により
若者の心筋炎・心膜炎の報告頻度比較のグラフ

これを見ると、20 代のファイザーワクチンを受けた場合よりもコロナで心筋炎に罹る可能性の方が 80 倍も高いように見える。しかし、右のグラフタイトルは**「新型コロナウイルス感染症に罹った場合」**とあり、**母集団は全陽性者のように見えるが、実際は「新型コロナに感染して入院している患者」**であり、**“ 捏造 ” と言っていいレベルの不適切な表現**だ。そしてその母集団の数は厚労省の佐原健康局長によれば、わずか 4798 人である。834 人との数字は、4798 人のうちの４人が心筋炎・心膜炎になったことから導き出した数字であり、日本全体の実数としては４人に過ぎない。左の 20 代の接種者は 1,000 万人ほどいるので、100 万人当たり 9.6 人ということは実数で 96 人程度いる計算になる。**心筋炎・心膜炎の発症実数で見ればコロナ感染とファイザーワクチンとは４：96** だ。**グラフから受ける印象とはまったく逆**の結果だ。さらに右の母集団はワクチン接種の有無も分からず、年齢層も15〜39歳までと広く、そもそも比較にならないものを比較していることになる。

２つ目は、コロナワクチンの接種回数ごとの陽性者数のグラフだ。厚労省は当初、接種者の方が未接種者よりもコロナに感染しにくいようなデータを示していたが、これは世界各国のデータとは完全に食い違っていた。のちに、**接種済の接種日不明者を未接種者に加えるという操作**を行なっていたことが発覚した。それを受けて厚労省はデータを修正し、２回接種者の方が未接種者よりも多く感染している実態を認めるデータを出したが、実はこれでも修正は全く足りない。**接種日不明者を接種１回〜３回に振り分けなければいけない**からだ。ところがその修正をするどころか、その後は都合が悪いからなのか、**新しいデータの公表をやめてしまった**のだ。

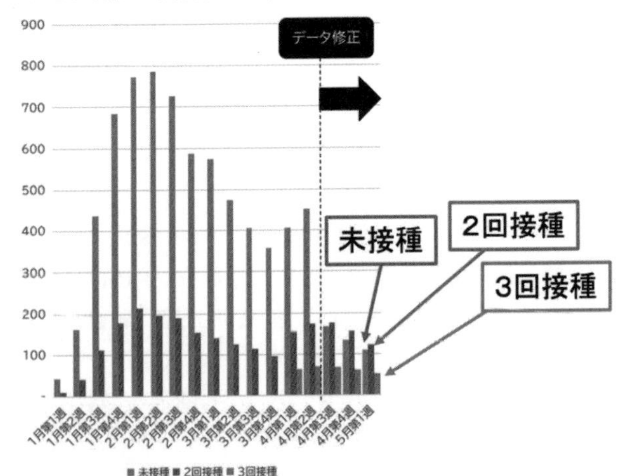


捏造が発覚した接種歴ごとの陽性者数のグラフ

さらには、この事例においてもやはり母集団の取り方に問題がある。本来であればそれぞれの母集団は「全未接種者」「全２回接種者」とすべきなのに、そうではなく「検査を受けた人」が母集団になっている。これでは接種歴ごとの検査率が違えば比較にならない。例えば、未接種者は陰性証明書を取るためにPCR検査を受ける機会が多いと考えられるが、3回接種者は陰性証明を必要としないことに加えて、東京都が無料PCR検査の対象外にしているため、検査を受ける人は少ないはずだ。つまり陽性者数は、未接種者では多目に、3回接種者では少な目に出ると考えられるのだ。この件はデータの多重捏造であり極めて悪質だ。

いずれのケースも、**「ワクチンは有効」「ワクチンは危険ではない」と言いたいがためのデータ操作**であり、**ワクチン接種に誘導する意図**が明確に見て取れる。

データを見る際は結果だけを見てはだめで、数字の意味や言葉の定義を確認する必要がある。

## 6. 論文が信用できるとは限らない

論文は客観的根拠としてよく使われる情報だが、査読済み論文だから信用できるとは限らない。

コクラン（治療と予防に関する医療情報を定期的に吟味し、人々に伝えるために、世界展開している中立な組織）によれば、医薬品に関する臨床研究の結果は、企業が直接研究を行うか、研究のための資金の全部または一部を提供するかのいずれかの理由で、これらの製品を製造する企業によって支援されることが多くなっている。製薬企業がスポンサーとなった研究は、他のスポンサーによる研究よりもスポンサーの薬剤を支持する傾向があることが分かっている。

つまり、**製薬会社が資金を出した研究論文はそもそも信用できない**と思っていい。逆に利害関係のない、中立な第三者が資金を出した研究論文は比較的信頼性が高いだろう。

もう一つ、こんな話もある。

「70％以上の研究者が他の科学者の実験を再現しようとして失敗

しており、半数以上が自分の実験を再現できなかった。これは、研究の再現性に関する簡単なオンラインアンケートを受講した 1,576 人の研究者を対象としたネイチャーの調査から出て来た数字だ」。

医薬品や検査キットの論文などはまさにこの「再現できない実験」に該当するものが多いのではないだろうか？

また、論文は３〜５人の研究者によって審査され、それに通れば雑誌 に掲載される。しかし実際には審査員が「科学的に正しい」と思うかどうかで決まり、審査員に著者の心証が悪ければ通らない可能性が高い。実際に論文が本当に正しいかどうかは「神のみぞ知る」の世界だ。

極めて特殊なケースではあるが、今回のコロナ騒動では、ドイツのドロステン教授が自分で書いた PCR 検査に関する論文を、実質的な査読なしで自分の発行する雑誌に「さも査読が済んだかのように」掲載し、PCR 検査を新型コロナのスタンダードテストとして WHO に採用させている。

以上のように、分野にもよるとは思うが、少なくとも実験系の論文の信頼性は極めて脆弱だと思っておいた方がいいだろう。

## ７. 内部告発者の発言は信用できる

ジュリアン・アサンジ、エドワード・スノーデン、マイケル・イェードン（元ファイザー副社長）などの内部告発者の発言は基本的に信用できると考えるべきだ。なぜなら、**命を狙われてまで告発する動機は、善意、正義感以外に考えられない**からだ。

ジュリアン・アサンジ、エドワード・スノーデンの両名はご存じの通り、母国の政府から命を狙われるために、共に亡命している。国家機密の暴露は、多少有名になったくらいでは割りに合わないほどのリスクを背負い込む行為なのだ。実際、ジュリアン・アサンジは 2019 年に女性への不適切な行為に対する暴行容疑で逮捕されたが、恐らく冤罪であろう。

マイケル・イェードン博士は 2011 年までファイザー社の副社長

兼アレルギー・呼吸器系チーフサイエンティストであった。ファイザー社が危険な遺伝子ワクチンの開発を進めていることに抗議して、退社した（あるいはクビになった）ようだ。

彼は2020年12月に、元ファイザーCEOで肺の専門医のヴォルフガング・ヴォダルグ博士と共に、欧州医薬品曲（EMA）に対し、実験的なCOVID-19ワクチンの中止を要求する請願書を提出した。その後もコロナワクチンの危険性を訴える動画を発信し続けている。ファイザーの高給を捨ててまでして、このような活動をする動機を考えれば、その発言の信憑性は高いと考えるのが妥当だろう。

ファイザー社の元副社長、マイケル・イェードン博士

## 8. 検閲に引っ掛かる情報の方が正しい

コロナ騒動が始まって以来、コロナワクチンが危険、あるいは効果がないとする表現など、コロナ騒動の継続とワクチン接種の推進の妨害になりかねない動画はユーチューブでは削除対象となっている。

フェイスブックでは、正体不明の「ファクトチェッカー」なる組織や人物が投稿をチェックし、「事実でない」と判断すれば表示を制限する検閲を行なっている。ここでの「事実」とは一般的に大手マスコミや政府、WHOなどの国際機関の発信する情報である。これには例外があり、例え厚労省などの公的機関が発した情報であっても、フェイスブックにとって都合が悪いと考えればファクトチェックの対象となる。これはユーチューブに関しても同様だ。

以上より、**ユーチューブで消される情報、フェイスブックでファクトチェックに引っ掛かる情報の方が正しく、かつ権力者にとって**

**都合が悪い**と思えばよい。ビッグテック（ユーチューブ、フェイスブック、ツイッターなど）が良心に従って検閲をしていると考えるのは人が良過ぎる。

戦後の日本でGHQにより抹殺（焚書）された本にこそ真実が書かれていたことを見ても分かるだろう。

## 9. 金の出どころを追え

学者の発言が信用できるかは、論文同様に、**どこから金をもらっているかを調べてから判断**する。

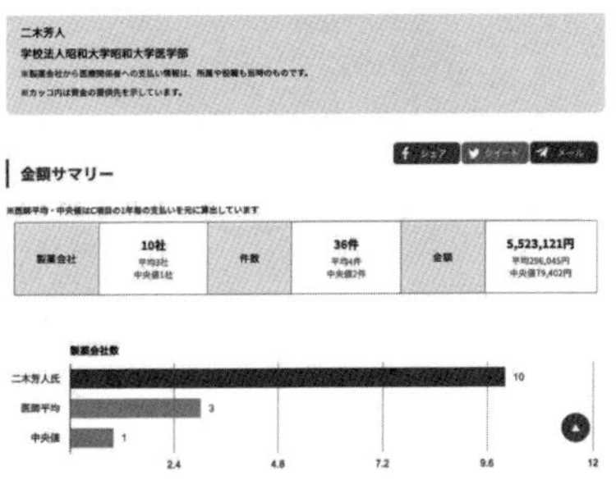


製薬マネーデータベースで「二木芳人」で検索した結果。

医療関係であれば、医者や医療関係者が製薬会社から金を受け取っているかどうかを調べられる「製薬マネーデータベース」というサイトがある。ここで名前を入れて検索すると製薬会社からどのような名目でいくらお金をもらっているかを知ることができる。なぜか2019年までのデータしか載っていないが。

## 10. 情報の背景を考慮せよ

常に情報の出てきた背景を考慮すること。「**何の目的で出された情報か？**」を。

治験データであれば、目的はその薬を販売すること。従って、自分たちに都合の悪い情報は隠蔽、改竄していると考えた方がいい。少なくとも治験がどのような環境の中で行なわれているかを知らなければいけない。中立な第三者の監視下で行なわれていなければ信用はできない。

5.で取り上げた厚労省の2つのデータも、データから読み取れるメッセージは、「だからワクチンを打ちましょう」だ。ということは、国民にワクチンを打たせることを目的に出していると考えるべきだ。ワクチンのデメリットを最小限しか伝えずに、ワクチン接種後死亡者のワクチンとの因果関係を一切認めずにひたすら強引に推進してきた政府の出す情報なので、これらも疑って掛からなければいけない。

## 11.シミュレーション、アンケートは結論だけを見るな

シミュレーション結果、アンケート結果などは結論だけを見て判断してはいけない。

6.の統計データと同様で、**シミュレーションなら前提条件、アンケートなら調査対象者の選び方、設問の置き方次第で結果を操作できる**からだ。世論調査は調査会社が結果を捏造していたことが発覚してニュースになったことがある。

フジテレビ系列のFNNと産経新聞社が実施した合同世論調査で、委託先の社員が14回に渡り、電話をかけずに架空の回答を入力していた、という事件だ。

世論調査は一般的に外部の調査会社に委託されるが、調査対象の選定や設問内容などに専門性を要求される。調査員はバイトに頼ることが多く、質の高い調査を行うのはそもそも難しい状況にあるようだ。

「社会調査」のウソ　リサーチ・リテラシーのすすめ」(谷岡一郎著、文春新書）によれば、米国の世論調査で以下のような例があった。

1991年に行われた、「4人の元大統領の中で誰を支持するか」とのアンケートで、35%がカーター氏、22%がレーガン氏、20%がニクソン氏、10%がフォード氏と答えた、というものだ。しかし実はこのアンケートの結果は予想できるものであった。なぜなら、4人のうち、カーターだけが民主党で、残りの3人は共和党である。

となると共和党支持者の票は割れるが民主党支持者にはカーターしか選択肢がない。明らかな設問の設計ミスだ。

**フジ・産経「世論調査捏造」を生んだ根深い病巣**

**世論調査の当事者が語った衝撃の現場実態**

鎮目 博道：テレビプロデューサー、顔ハメパネル愛好家、江戸川大学非常勤講師　著者フォロー　2020/06/21 6:05

シェアする　ツイートする　ブックマーク　メールで送る　印刷　A+ 拡大　A- 縮小

合同世論調査の捏造が明らかになったフジテレビ（左）と産経新聞社（左写真：今井康一、右写真：Ryuji／PIXTA）

フジテレビ系列のFNN（フジニュースネットワーク）と産経新聞社が実施した合同世論調査で、委託先の社員が14回にわたり、電話をかけずに架空の回答を入力していたことが明らかになった。

世論調査の信頼性を著しく損なってしまうのみならず、報道機関への信頼も損ないかねない衝撃的なニュースであり、驚かれた方々も多いだろう。なぜこんな信じられない不正が起きてしまったのか。ほかのメディアでも似たようなことが起こりうるのか。

世論調査捏造事件を取り上げた記事

このように、**世論調査は疑って掛かった方がいい**。

シミュレーションも同様だ。

例として挙げるのは、スーパーコンピューター富嶽を使って行われた、飛沫の「感染確率シミュレーション」だ。

それによると、「今回は、従来株よりも感染力が強いとされるオミクロン株の影響を調べるためデルタ株の1.5倍の感染力と想定して、これまでに起きたクラスターの状況などをもとにシミュレーションし」、「その結果、マスクをした状態であっても50センチ以内に近づいて会話をすると感染リスクが高まることがわかった」としている。

しかしこのシミュレーションで分かるのはあくまで飛沫の拡散具合だけであり、浴びた飛沫の量と感染との因果関係を調べた論文など存在しないにも関わらず感染確率の数字を出しているということは、何らかの仮定を置いたということだ。その仮定の置き方次第で感染確率などどうにでも操作できる。

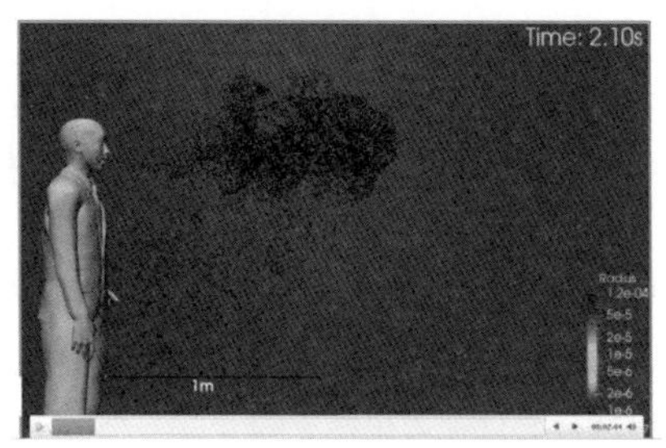


富嶽によるシミュレーション画像

そもそもウイルスを含む飛沫を浴びると感染が起きることさえ証明されたことはないのだ。

**シミュレーションも世論調査同様、信じてはいけない。必ず前提条件を確かめる**ことだ。

## 12. 根拠の示されていない情報を信じるな

学生への講義では当たり前過ぎて書かなかった「根拠の示されていない情報を信じないこと」という基本中の基本事項が、私の偏向報道のケースでは守られていない。この一番大事なルールをマスコミは無視しているのだ。3. に書いた、「一次情報を取れ」どころの話ではなく、そもそも根拠自体を全く確認していないのだ。

「２億回打って死者ゼロ」発言など断定的な発言が
目立つ河野太郎ワクチン担当大臣（当時）。

すなわち、番組では冒頭から「『コロナはただの風邪』『コロナワクチンは危険』はデマである」と主張しておきながら、その根拠を一切提示していない。

逆に、「陰謀論者」扱いされた私の方が、毎日放送の取材では説明に3時間を要するだけの量の証拠の提示を行なっている。

河野太郎ワクチン担当大臣（当時）の「米国では2億回撃って亡くなった人は0」「いろんな国の様子を見てると、ワクチンを打ったらたぶん感染しないと言える」などの数々のデマ発言に関しても、マスコミはその根拠を問うことなく垂れ流した。

果たしてどちらがデマなのだろうか？

## 13. 米国の独立系メディア大手の動向を見ること

マスコミのトレンドも時代の空気でよく変わる。ちなみに月刊WILL2023年7月号別冊のタイトルは何と「もう陰謀論とは言わせない」である！

そこに筑波大の掛谷英紀教授の投稿として以下のようなことが書かれている。

「デマと真実をどう見極めればいいのか？　本来は自分で1次情報を徹底的に集めて吟味する必要がある。しかしながら、世の中それほど暇な人はあまりいない。また、背景知識が必要な場合もある、海外の情報を取るには英語力が必須であるし、新型コロナウイルスについて理解するには分子生物学の基礎知識も必要である」と。確かに言われてみればその通りで、もしかするとここまで書いて来たことも、実行するのは意外と難しいのかもしれない。

記事では、そんな方のために、米国の独立系メディアの中で比較的大手の動向を見ることを勧めている。具体的には、デイリー・ワイヤー（Daily Wire）、ザ・ヒル（The Hill）、メーガン・ケリー・ショー（Megyn Kelly Show）の3つだ。いずれも、「陰謀論というレッテルを恐れずに真実を追い続けるが、デマに乗らないように最新の注意を払う、非常に信頼のおけるメディア」とのことだ。英語力の問題は残るが、今は自動翻訳機能があるので、参考にして欲しい。

# 【第5章】「陰謀論」は本当にデマなのか？

ブラックジャックによろしく／佐藤秀峰　※本書内容と同作品、佐藤氏は無関係です。

## 「陰謀論」とは何なのか？

書のタイトルともなっている「陰謀論」という言葉、この意味を皆さんはどのように捉えているだろうか？

「根拠のないデマ」「世の中は悪意を持った勢力によって動かされているとする一連の考え方」といったところだろうか？

「陰謀論」の定義をネットで検索してみると、「ある事件や出来事について、事実や一般に認められている説とは別に、策謀や謀略によるものであると解釈する考え方。強大な権力を持つ人物あるいは組織が、一般市民に知られないように不正な行為や操作を行なっている、といった推論・主張が多い。コンスピラシーセオリー。」あるいは、「陰謀論とは、なんらかの有名な出来事や状況に関する説明で『邪悪で強力な集団（組織）による陰謀が関与している』と断定したり信じたりしようとするものである。

この言葉は、偏見や不十分な証拠に基づいて陰謀の存在を訴えているという、否定的な意味合いを持って使われることが多い。『陰謀論』という言葉は、単純に秘密の計画を指す『陰謀』とは異なり、科学者や歴史家などその正確性を評価する資格のある人々の間で主流の見解に反対しているなどの特定の特徴を持つ『仮説上の陰謀』を指すものである。」とある。

つまり、証拠が不十分であるにも関わらず、主流の説を否定し、事件や出来事が悪意と権力を持った人物や組織によって引き起こされたものであると主張する説のことを指すようだ。

「陰謀論」であるためには、いや、「陰謀論」と難癖を付けるためには、と言った方がいいだろう、**証拠が不十分であることが条件**になっていると言えるだろう。なぜなら、証拠が十分に揃っていたら、事実に限りなく近い一つの「説」に過ぎないからだ。それがどのような方向性、色合いを持っていたとしてもだ。いくら常識から考えてあり得ない、と誰かが思ったとしても、十分な証拠が揃っていれば、それは事実と認めざるを得ないだろう。それを認めないのであれば、そちらの方がよほど「陰謀論者」の資格を持っているように思える。

そもそも、**各国にCIAやモサドや旧ソ連のKGBに代表される諜報機関が存在する事実を考えれば、国家による陰謀が存在することは明らか**であるし、国が何かの政策、とくに外交関係の政策を決定する際には、表には決して出てこない情報を諜報機関が徹底して調査、入手した上で判断を下すのは当然のことで、表のニュースだけを見て判断する馬鹿なトップはどこにもいない。馬鹿なことばかりやっている日本政府でさえ、事実を知った上で、ある意図を持って、国民のためにならないおかしなことばかりやっているのだ。

これらを考えれば、表のニュースだけを見て、マスコミの伝える情報と逆のことを主張する人間に対して「それはあり得ない」「それはデマだ」と言うことがいかに馬鹿げていて愚かなことか理解できると思う。

## 「陰謀論」の誕生

さて、いわゆる「陰謀論」の定義をはっきりさせたところで、まずはこの言葉の初登場のシーンを見ていくことにしよう。それを見ることで、この言葉に込められた意図が見えて来るからだ。

時は1967年1月4日、CIAが世界中の全支局長に送った指令の文書が次ページの写真だ。

そこにはこう書かれている。

「Conspiracy theories have frequently thrown suspicion on our organization, for example by falsely alleging that Lee Harvey Oswald worked for us. The aim of this dispatch is to provide material for countering and discrediting the claims of the conspiracy theorists, so as to inhibit the circulation of such claims in other countries.」

この訳と解説はBusiness Journal 2018.2.6の記事「CIAが「陰謀論」を世界に広めた？　ケネディ暗殺、壮大な世論誘導工作を実行」（サイゾー社）から引用する。

「陰謀論はしばしば我々の組織＜＝ CIA ＞に疑いを投げかけてきた。たとえば、＜ケネディ狙撃犯とされる＞リー・ハーヴェイ・オズワルドが我々のために働いたという虚偽の主張によってである。本文書の目的は、陰謀論者の主張に反撃し、その信用を貶める素材を提供し、そのような主張が他国に広まるのを阻止することである」

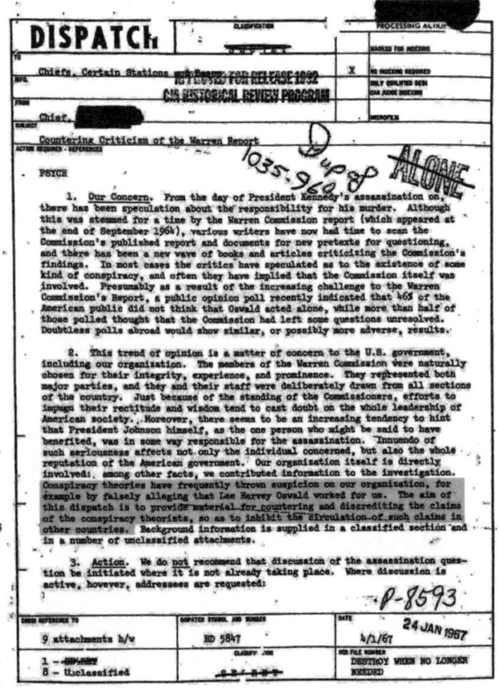

DISPATCH

CLASSIFICATION

PROCESSING ACTION

MARKED FOR INDEXING

TO: Chiefs, Certain Stations

X NO INDEXING REQUIRED

INFO.

ONLY QUALIFIED DESK CAN JUDGE INDEXING

APPROVED FOR RELEASE 1992 CIA HISTORICAL REVIEW PROGRAM

FROM: Chief,

MICROFILM

SUBJECT: Countering Criticism of the Warren Report

ACTION REQUIRED - REFERENCES

1035-960

ALONE

PSYCH

1. Our Concern. From the day of President Kennedy's assassination on, there has been speculation about the responsibility for his murder. Although this was stemmed for a time by the Warren Commission report (which appeared at the end of September 1964), various writers have now had time to scan the Commission's published report and documents for new pretexts for questioning, and there has been a new wave of books and articles criticizing the Commission's findings. In most cases the critics have speculated as to the existence of some kind of conspiracy, and often they have implied that the Commission itself was involved. Presumably as a result of the increasing challenge to the Warren Commission's Report, a public opinion poll recently indicated that 46% of the American public did not think that Oswald acted alone, while more than half of those polled thought that the Commission had left some questions unresolved. Doubtless polls abroad would show similar, or possibly more adverse, results.

2. This trend of opinion is a matter of concern to the U.S. government, including our organization. The members of the Warren Commission were naturally chosen for their integrity, experience, and prominence. They represented both major parties, and they and their staff were deliberately drawn from all sections of the country. Just because of the standing of the Commissioners, efforts to impugn their rectitude and wisdom tend to cast doubt on the whole leadership of American society. Moreover, there seems to be an increasing tendency to hint that President Johnson himself, as the one person who might be said to have benefited, was in some way responsible for the assassination. Innuendo of such seriousness affects not only the individual concerned, but also the whole reputation of the American government. Our organization itself is directly involved: among other facts, we contributed information to the investigation. Conspiracy theories have frequently thrown suspicion on our organization, for example by falsely alleging that Lee Harvey Oswald worked for us. The aim of this dispatch is to provide material for countering and discrediting the claims of the conspiracy theorists, so as to inhibit the circulation of such claims in other countries. Background information is supplied in a classified section and in a number of unclassified attachments.

3. Action. We do not recommend that discussion of the assassination question be initiated where it is not already taking place. Where discussion is active, however, addressees are requested:

P-8593

| CROSS REFERENCE TO | DISPATCH SYMBOL AND NUMBER | DATE |
| --- | --- | --- |
| 9 attachments h/w | BD 5847 | 4/1/67 24 JAN 1967 |
| 1 - <br>8 - Unclassified | CLASSIFY JOB | HQS FILE NUMBER<br>DESTROY WHEN NO LONGER NEEDED |

CIAの指示文書

それまで日常会話で使われることのなかった「陰謀論」「陰謀論者」という言葉が登場している。「その信用を貶める」という語から、CIA がこれらの言葉に最初から悪いイメージを植えつけようとしたことがわかる。

CIA 文書は続けて、具体的なプロパガンダ手法を指南する。「CIA に親しい人々に相手の主張を攻撃させる」「目撃者の証言は信用できないと主張する」「憶測は無責任だと主張する」「金銭的利益から陰謀論を広めていると非難する」などである。

CIA と一部ジャーナリストの癒着を物語る、次のような生々しい記述もある。「広報問題について、＜判読不明＞や親しいエリート接触者（とくに政治家と編集者）と協議すること」「プロパガンダ人脈を活用し、批判者の攻撃＜を無効とし＞反論すること。書評と特集記事はこの目的にとくにふさわしい」(引用以上)

要するに 1963 年の**ケネディー大統領暗殺の真相追及の動きが一向に止まないことに業を煮やして、CIA が追及の手から逃れるために、真相を追及する勢力に「陰謀論者」という名前のレッテルを貼ったのが始まり**ということだ。

このことだけでも、いわゆる「陰謀論者」とはすなわち「真相を追求する人」と同義ということになる。そして「陰謀論」とは、「陰謀の真実に限りなく近付いた仮説」だろう。少なくとも 1967 年の時点では。

「陰謀論」と言う言葉には「偏った考え方」との、それこそ「偏った」ニュアンスが練り込まれている。そしてその呼び名がかろうじて許されるのは証拠が不十分なときだけだ。証拠が十分にあれば、それは真実・真相そのものだからだ。

例えば「バイデン大統領は俳優のジム・キャリーがゴムマスクを被って演じている」「地球が球体だというのは支配者が仕込んだ嘘で実際は平面である（フラットアース説）」などは証拠が不十分だったり、陰謀を行う理由がなかったりするので、普通にばかばかしい「デマ」と呼んで頂いて結構だ。

「陰謀論」という言葉は、CIAが自分たちの悪事から国民の目を逸らすために作り出した言葉なので、できれば安易に使うことは避けて欲しい。それでは真相を隠したいと思うCIAの思う壺だからだ。ちなみに私は「陰謀論」という言葉を使う際には、「いわゆる陰謀論」と書いたり、「正しくない言葉」との意味を込めて、『陰謀論』と括弧を付けて表記したりしている。

## 代表的な「陰謀論」

代表的な「陰謀論」としては以下のものがある。
・ケネディー暗殺はCIAによるもの
・アポロは月に着陸していない
・UFO、宇宙人が地球に来ている
・日航機123便墜落事故の原因は隠されている
・9.11は米国政府の自作自演
・地球温暖化は詐欺
・3.11は人工地震
・イルミナティー、フリーメイソンが人類を支配している
・人類を支配しているのは爬虫類型異星人＝レプティリアンである
・2019年の米国大統領選挙でトランプは不正選挙により敗北
・尾崎豊、三浦春馬、竹内結子、神田沙也加らは暗殺された
・安倍元総理暗殺犯は別にいる
・ロシアによるウクライナ侵攻は元はと言えばウクライナに原因がある（まあ、これは明らかな事実なのだが・・・）
・新型コロナパンデミックは支配者層が起こした世界的詐欺
・支配者層は人類の人口削減を狙っている
・支配者層は世界統一政府の樹立を狙っている

この後、この中からいくつかのテーマを取り上げ、それに関して、証拠が十分にあるのかどうなのか、証拠が不十分で「陰謀論」、いや失礼、「デマ」と呼べるものなのかを検証して行く。

それぞれのテーマは１冊の本になるだけのボリュームのあるものばかりなので、ここではキーワードを書く程度に留める。本当かどうか気になるものがあればぜひ自分で調べてみて欲しい。

いわゆる「陰謀論者」と呼ばれる人の中には、裏付けとなる証拠がないのに、いかにも事実であるかのように話す人がいる。通説と異なる刺激的な説は面白いので、「本当であって欲しい」と思う気持ちは分かるが、そのような人がいると、証拠が十分にあって事実と言ってもいいレベルの、通説とは異なる説まで十把一絡げにして信用をなくしかねないので、私のような「真実を追求する人間」にとっては迷惑この上ない。

実際、CIA が UFO や宇宙人への追求から人々の興味を逸らすためによく使ってきた作戦は、本物の証拠の中に１つ２つだけそれっぽい偽物の証拠を混ぜることだ。そしてそれらが偽物であることを証明することで、残りの本物の証拠まで偽物であるとの印象を人々に与えることができる。

不用意に証拠の薄い説を盲信してしまうことは、これと同じ現象を引き起こしかねないので要注意だ。

通説を簡単に信じてはいけないのと同様に、通説とは異なる説についても、十分な証拠があるかどうかを自分で調べ、自分の頭で考え、自分で結論を出して欲しい。

それぞれの事例の最後に著者としての判定を書く。書き方は一人称、つまり私の判定の形を取るが、捉え方としては「まともな『陰謀論者』はこのような論理的な解析を経て、その説が事実かデマかの判定をしている」と読み替えて欲しい。もちろん、そうでない「陰謀論者」がいることを否定はしない。

## ■陰謀論１「9.11 事件は米国政府の自作自演である」

9.11 アメリカ同時多発テロ事件とは、「2001 年９月 11 日の朝にイスラム過激派テロ組織アルカイダによって世界貿易センタービルなどに行われた、アメリカ合衆国に対する4つの協調的なテロ攻撃」とされている事件のこと。

9.11 事件が米国政府の自作自演であることは、私の中では今さら言うまでもない明らかな事実であり、世界では常識と言っていいレベルまで知れ渡っていることであるが、残念ながら日本人でこの事実を知っている人は1割にも満たないのではないかと思うのでざっと説明して行く。

9.11 に関しては、事件直後から国際諜報活動に詳しい専門家たちは、**攻撃の極端な正確性と計画の規模から考えて、国諜報機関の関与と国が計画した可能性**を示唆している（「ペンタゴン戦慄の完全支配」ウィリアム・イングドール著、徳間書店)。2003 年のデーヴィッド・アイク著「究極の第陰謀（上・下)」（三交社）を皮切りに、日本でも本が数多く出ているので、それを読んでいただければ簡単に理解して頂けるものと思っている。

ちなみに日本の国会で、2007 年から藤田幸久参議院議員が 9.11 の疑惑を国会で追及したことからも、しっかりとした根拠のあることが窺える。藤田議員の国会質問は「9.11 テロ疑惑国会追及」（藤田幸久編著、クラブハウス）という本になっている（本書と同じ版元)。この本の中には、世界中で事件の真相解明を求める政治家や様々な専門家ら 1,200 人以上の発言をウェブ上に公開しているサイトも紹介されており、世界的に米国政府の公式見解には疑問が投げ掛けられている。

ちなみにこの本の推薦人には刊行直後に首相となる鳩山由紀夫、小沢一郎らが名を連ねたという。出版記念パーティーは、東京ドームホテルで 9.11 に疑念を持つ政財界 300 人が結集して、あのベンジャミン・フルフォード氏が真相のレクチャーをしたという。

9.11 に関する米国政府の公式見解である**「9.11 同時多発テロはウサマ・ビンラディン率いるイスラム過激派によるテロ」を裏付ける証拠は事実上存在しない一方、「9.11 同時多発テロは米国政府（およびモサドなど）による自作自演である」とする説を裏付ける**

**物的証拠および状況証拠の数は恐らく50個では済まない。**

**【世界貿易センタービル関連】**

・崩壊の仕方は制御解体のときのそれである。

・飛行機の追突前からビルの地下で爆発があった。

・セスナ機もろくに操縦できない犯人が大型旅客機で曲芸飛行。

・強固なビルに旅客機が吸い込まれ残骸が一切見つからない。

・ビル崩壊時に上の階から連続して爆発が起きている。

ツインタワー崩壊の様子

・ビルの瓦礫は検証なしにFEMAがさっさと撤去して中国に輸出(法律違反)。

・直前にビルのオーナーとなったシルバースタインはビルに巨額のテロ保険を掛けて大儲け。

・瓦礫はミクロン単位の粉塵に。パンケーキ崩壊なのに？

・第7ビルは謎の崩壊。BBCは崩壊前に「第7ビルが崩壊しました」とフライング報道。

・ディック・チェイニーはハイジャック機に対するスクランブル発進を許可しなかった。

・ビルに入っていたユダヤ企業の社員4,000人は誰も出社していなかった。

・事件の数日前、ビルから爆弾探知犬が排除された。

・ツインタワーの崩壊を川を隔てた対岸から撮影して大喜びしていた4人はモサドだった。

・ビンラディン家とブッシュ家は昔からのビジネスパートナー。

・オサマ・ビンラディンの指名手配の要件に 9.11 が入っていない。
・容疑者 19 人中 7 人がサウジアラビアなどで生きている。
・飛行機の残骸もないのに、犯人のパスポートだけが残骸の中から無傷で発見された。

**【ペンタゴン関連】**
・飛行機の残骸と遺体がない。
・衝突場所には丸い穴がひとつあるだけで、主翼と尾翼のぶつかった跡はなし。
・ペンタゴンの直前に補強工事を行なった部分を狙ったように衝突。
・軽量化して強度のない旅客機が 3 重のビルを貫通。
・飛行機が突っ込んで破壊された場所にいた部署は軍の巨額の使途不明金の調査を行っていた。
・飛行機の突っ込むところの写った監視カメラ映像が存在しない。
・近くのガソリンスタンドの監視カメラは没収。

**【ピッツバーグ関連】**
・飛行機の残骸と遺体がない。
・飛行機では通じないはずの携帯電話で乗客から地上に連絡があった。

**【動機】**
・アフガニスタンにパイプラインを引くための米国企業ユノカルとタリバンの交渉が決裂していた。
・フセインは石油の取引をドル建てからユーロ建てにしようとしていた。
・「軍需産業の復活には第 2 の真珠湾攻撃が必要」とネオコンのシンクタンク PNAC（アメリカ新世紀プロジェクト）が提言していた。

**【状況証拠】**
・アフガンの新大統領カルザイはユノカルの元顧問。
・政府見解に疑問を呈する者には容赦ない弾圧。

・9.11の直前にボーイングなどの関連株の取引量が異常に増加。
・テロが計画されているというFBIや各国からの警告を無視。
・9.11で使われたボーイング社は無人操縦技術を完成させていた。
・テロに使われたとされる4機合わせて200人強の異常に少ない乗客数。
・アフガン侵攻後、無事ユノカルのパイプラインの敷設に成功。

**著者の判定:**これだけの証拠があれば、「米国政府が絡んだ自作自演」は99%以上の確率で真実だと判定する。

## ■陰謀論2 「地球温暖化人為説は嘘＝詐欺である」

これは、「地球が温暖化しているとの主張は完全な嘘であるし、人間の生活の中で排出される二酸化炭素が地球温暖化の主要因だとする主張（地球温暖化人為説）も嘘である。地球温暖化の防止名目で炭素の排出権取引など各種政策が行われており、実際の目的は二酸化炭素を減らすこと以外のところにある」とする説のこと。

これに関しても本はたくさん出ており、一冊読めば理解できるはずだが、先ほどと同じように地球温暖化人為説が詐欺である証拠を列挙する。（以下は『「地球温暖化」神話』（渡辺正著、丸善出版）より）

・地球温暖化論者は都市化の影響を低く見積もり過ぎている。
・都市化の影響のない計測地点では昇温の傾向は見られない。
・気温が上昇している地点と変化なしまたは下降している地点は混在している。
・都市化の影響を受けない衛星による測定結果では米国も南極も、ここ30年は横ばいである。
・気温が上がると海水が蒸発して雲が増えるが、それによって更に気温が上がるのか、逆に下がるのかが分かっていない。それで100年先の気温が予測できるのか？

・1998 年〜 2008 年の間、世界の平均気温は上昇していない。
・温暖化により台風やハリケーンや竜巻が大型化し、発生数が増えると言われているが、数にも大きさにも上昇傾向は見られない。
・地球の気温は昔から何度も温暖化、寒冷化を繰り返しており、小氷期からの回復期と見られる現在の上昇は特異な現象ではない。
・2001 年の IPCC の第三次報告書にあるいわゆる「ホッケースティック」グラフは中世温暖期と小氷期を消した「捏造」であったことは、報告書の主要人物の流出メール ( クライメート・ゲート事件 ) によって明らかになっている。
・CO2 削減目標を設定し、排出権取引を行なったが世界の CO2 排出量は減っていない。
・世界の CO2 排出量の 85.7%を占める国が議定書を無視している。
・日本では 7 年間で 20 兆円を使ったが、世界の 4%しか排出していない日本が 2020 年に 90 年比 25%の削減をしても 0.0003℃しか下がらない。

別の本（「地球温暖化論への挑戦」（薬師院仁志著、八千代出版））からの情報によれば以下の点も追加できる。

・地表から放射される赤外線の波長領域のうち、二酸化炭素が吸収できるのは約 12 μ m 〜 18 μ m。その領域の赤外線の半分以上がすでに吸収されており、すでに二酸化炭素による赤外線の吸収が飽和している可能性があり、これ以上二酸化炭素が増えてもあまり意味がないと考えられる。
・100 年前の気温に関する記録の正確性への疑問。特に人の住んでいない海の上の気温を過去と現在とで比較することは不可能。世界中の海の上の気温を過去から現在に渡って測定し続けていないのに、どうやって地球の平均気温の推移を知ることができるのか？

**著者の判定：**地球温暖化が嘘であることは純粋に科学的な検証だけで「真実」であると言える。「地球が温暖化している」ことが証明できていないので、人間の出す二酸化炭素がどうこう言う以前に勝負ありだ。

地球温暖化詐欺の目的に関しては、「陰謀論10」として取り上げる「世界統一政府」絡みであると言われているので、そちらで触れることにする。

## ■陰謀論3「ロシアのウクライナ侵攻はウクライナ側に原因がある」

はっきり言ってこれは陰謀論でも何でもない。明らかな事実だ。日本人が知らない、知らされていないだけのことだ。

以下のことは事実である。(「ウクライナ問題の正体1・2」寺嶋隆吉著、あすなろ社より)

・ソ連が崩壊する直前、モスクワが東ドイツと西ドイツの統一に合意したとき、アメリカをはじめとする欧米勢力は「NATOをこれ以上、東に拡大しない」ことを約束したが、それを反故にし、加盟国をどんどん東に拡大させ続けていることが、ウクライナ危機を生み出す遠因になっている。アメリカは旧ソ連諸国では、ロシアに友好的な国々の政権転覆を狙った、いくつものクーデター、いわゆる「カラー革命」を起こし、親米国に変えている。

・ウクライナでは2014年にオバマ大統領がネオナチ勢力（アゾフ大隊）を利用してクーデター（マイダン革命）を起こし、親米政権を樹立した。現地で指揮していたのはビクトリア・ヌーランド国務次官補、大統領官邸で指揮していたのはバイデン副大統領だった。

・それに反発し抵抗するドンバス地方の人たちは、急遽、ドネツク共和国やルガンスク共和国を設立し、ロシアへの編入を希望したが、プーチン大統領は西側の反発を恐れて拒否。

・ドンバス地方の人々はロシア語を話すことを禁じられ、ネオナチ勢力による民間軍事組織が繰り返しドンバス地方を侵略し、住民を殺戮する攻撃を繰り返した。

・2014年9月5日にウクライナ、ロシア連邦、ドネツク人民共和国、ルガンスク人民共和国が、戦争停止の議定書である「ミンスク合意」に調印した。

ハーケンクロイツを掲げるアゾフ大隊は紛れもなくネオナチである。この写真をフェイスブックに上げると警告が来て投投稿制限を受ける。余程知られたくない事実なのだろう。

・しかしウクライナ政府は合意を守る意思が全くなく、ネオナチ部隊による激しいドンバス攻撃を続けたため、今度は2015年2月にロシア、ウクライナ、ドイツ、フランスの4カ国による首脳会談で「ミンスク2」が調印された。内容は、「ウクライナ東部での包括的な停戦」「ドンバス地方の2カ国に高度の自治権を与える」などであるが、これもウクライナが守らず、停戦合意を破ってドンバス地方への攻撃を継続していた。この8年間で死者は1万3,000人を越えていた。

・ロシア系住民の虐殺に業を煮やしたプーチン大統領は、2022年に入ってドンバス2カ国を独立国として承認し、その独立国の要請でドンバスにロシア軍を進める手続きを採った。それはロシアの行為を国際法上の合法行為とするためのものだ。

・激戦地となったアゾフスタル製鉄所（ヨーロッパ最大の製鉄所の1つ）は、マリウポリを包囲したロシア軍とその同盟国ドネツク軍によってほぼ壊滅されたということになっている。

しかし真相は、ネオナチのアゾフ大隊がロシアのウクライナ軍事作戦開始以来、マリウポリの市民数十人を人間の盾として奪い、最後の抵抗としてアゾフスタル製鉄所に退去した、ということである。

ゼレンスキー大統領は製鉄所に立てこもっている軍に対して「絶対に投降するな」という命令を出したようだ。

**著者の判定：**これは文書も住民らの証言も豊富にあり、疑いようのない「事実」である。ウクライナ戦争は、米国が世界中で繰り返して来た「テーブルの下で相手の脚を散々蹴っておいて、相手が痺れを切らしてパンチをして来たら『先に手を出して来たのは相手の方だ！』と言い張って世論を味方に付ける」パターンの一例に過ぎない。しかし、ウクライナ東部のロシア系住民が長い期間に渡って悲惨な状況にあることは事実であり、このような悲劇を早く終わらせるためにも、我々は真実を知る努力をもっとすべきなのである。そしてひたすらロシアを悪者にしたがる勢力に対して抗議の意思を示さなければいけない。

## ■陰謀論４「トランプ氏は不正選挙により大統領の座を奪われた」

これも、500ページを変える大著「アメリカ不正選挙2020（船瀬俊介著、成甲書房）や「アメリカの崩壊」（山中泉著、方丈社）などに挙げられた山のような証拠があり、疑う余地がないと言っていいほどのものだ。

ツイッターがトランプ大統領のアカウントを削除するという前代未聞の行為を行うなど、ネット上でも不正選挙に加担する動きが明らかで、トランプ氏を大統領にしたくない大きな力が働いていたのは、現地の情報を取れる人間であれば誰でも気付いていたはずだ。

具体的な例をいくつか挙げれば、

・ミシガン州の開票所に深夜３時過ぎ、州外ナンバーの白い車が到着し、13万8,000票分の投票用紙を届けた。しかしその100％がバイデン票。これにより大差で負けていたバイデンは奇跡の大逆転を果たした。

・投票用紙に書かれていた名前は有権者ファイルに載っていないものばかりだった。

・デトロイトTCFセンターにメールボックスで届けられた『郵送投票用紙』は、上部が開けられ封印もなかった。ボックスには出所を示す印も、識別も全くなかった。

・通常、郵便投票は、選挙当日の期限（午後8時）に間に合わなければ締め切り、無効だ。しかし今回に限り、『1週間も受付期日を延ばした』。期日までに締め切ればトランプは再選していた。

・中国企業が、500万枚もの偽造投票用紙を印刷、輸出していた。

・ノースカロライナ州では、登録者数516万に対して、投票総数は538万。ネバダ州各郡の開票所では軒並み投票率が100％を超え、最大125％に達し、ウイスコンシン州も105％。

・ジョージア州では住民でない2万312人が投票。

・ペンシルバニア州では、民主党は共和党の監視員を集計室から追い出し、その間に100万近いバイデン票が増加した。

・CNNで生中継されていた選挙速報で、突如トランプ表が減少し、その分バイデン票が増加した。「The Gateway Pundit」によると、このような票の「スイッチ」は5回も行われていたという。

・郵送投票用紙の署名が一致しない、署名欄が切り取られていた。

・53選挙区でバイデン票はピタリ、50.05対49.95で勝った（統計学的に絶対にあり得ない）。

・選挙投票日の夜、激戦州とされた6つの州で同時に集計が停止され、その後バイデン票の奇妙な急増が見られた。

・今回の選挙ではその他にも以下の詐欺行為が確認されている。

　・1人が何回も投票

　・死者の名義で投票

　・トランプ票の廃棄

　・トランプ票の無効化

・今回の選挙では、ベネズエラの大統領、ウゴ・チャベスのために投票結果を改竄する目的で開発されたドミニオンシステムが使われた。ドミニオンの親会社のスマートスティック社の会長マーク・マロハ・ブラウン氏はジョージ・ソロス財団にも籍を置いている。
・「開票所の集計機はネット接続されてはならない」との鉄則があるが、全米のドミニオン集計機はすべてネット接続されていた。
・「不正選挙に使われたドミニオンサーバーの基地がドイツのフランクフルトにあり、そこを米軍特殊部隊が急襲した。守っていたのはCIA。激しい銃撃戦で特殊部隊5名が殉職。CIA側も1名が死亡している。米軍が応酬したサーバーから、トランプ大統領の勝利の証拠が示された。」とマキナニー元中将が証言し、その場にはマイケル・フリン元中将も同席していた。

**著者の評価：**証言を直接聞いたわけではないので、そこに関しては確信までは行かないが、これだけの証拠と証言が揃っていれば99%真実だろう。最近はこれらの証拠を裏付けるように、争われていた不正選挙裁判で次々とトランプ氏側が勝利している。

## ■陰謀論5　「コロナ騒動は支配者が仕掛けた偽のパンデミックである」

コロナ騒動の真相の詳細は拙書「新型コロナ真相謎とき紙芝居」および「新型コロナ真相謎とき紙芝居　増補改訂版」にあるのでここでは詳しくは書かず、第2章に書いた毎日放送の取材のために用意した説明用シナリオを載せることで説明の代用とする。

用意した説明のシナリオは以下のもの。これとは別に、提示するための図表やデータを別途用意した。
＊＊＊＊＊＊＊＊＊＊＊＊＊＊＊＊＊＊＊＊＊＊＊＊＊＊＊＊＊
**【コロナは怖くない1】**
**1.PCR検査の問題**
① PCR検査は感染の有無を調べるものではない。
**a.** PCR法の開発者キャリー・マリスの言葉→「PCRで病気かど

うかを知ることはできない」

**b.** 原理→塩基配列が一致するかどうかを見るもの。

新型コロナウイルスに関しては、3万塩基中の約60塩基（2つのプライマー及びプローブ分）が一致すればOK。断片（死んだウイルス）でも検出。しかもメーカーによって検査する部分が異なる。本当に同じものを検出しているの？

② 陽性判定の基準が不適切

**a.** 日本維新の会の柳ヶ瀬議員による国会質問

・僅か（5つ）でもウイルスの断片があれば陽性

・「陽性者＝感染者」ではないと厚労省職員が回答

**b.** オックスフォード大学の論文（Ct値36以上での陽性は無効）

③「陽性者＝感染者」ではない

**a.** 概念図→陽性判定基準が緩過ぎる。

**b.** 厚労省の「陽性者」をマスコミや自治体が「感染者」と言い換えてきた。

**c.** PCR検査キット添付文書→「診断は本品による検査結果のみで行わず、臨床症状も含めて、医師が総合的に判断してください。」

**2.死亡者数の嘘**

① 厚労省通達（2020年6月18日）：「PCR検査が陽性であれば厳密な死因に関わらず、すべてコロナ死者として報告するように」→実質的な水増し指示。

② 日本の2020年総死亡者数は前年比8445人減少→本当にコロナで死者は増えたの？

③ 米国、死因付け替え→死者は増えていない。

要するに、コロナパンデミックとは、実際には感染者の検出に使えないPCR検査を使うことによって、火のないところに煙を立てて「火事だ！」と大騒ぎしているようなものなのである。

**【マスク】**

1. **WHOは2020年2月に「感染予防にマスクは不要」と発表している。**
2. **マスクは「無症状感染者からの感染を防ぐため」**。しかし、
   - 感染力のある無症状の感染者は5,000人に1人
   - 無症状感染者からの感染は極めて稀（WHO、感染研）
   - 感染したとしても死者はインフルエンザより少ないのでインフルエンザ以上の対応は不要

つまり、「無症状の感染者からも感染する」との「根拠のない噂」を理由に、マスクに感染予防効果を示す論文もないのにも関わらず、3年間に渡って強要されてきたマスクには何の効果もなかったのだ。

**【コロナワクチンは怖い】**

1. **治験中である。**
2. **ワクチンメーカーはあらゆる製造責任を免除されている。**
3. **接種後死者の国への報告数**
   インフルエンザワクチン 接種5,200万人中3人（2018年）
   コロナワクチン 接種9,000万人中1312人
   インフルエンザワクチンの250倍
4. **超過死亡接種開始後の累計で2020年比で33万人以上増加**
   （2023年3月時点）
5. **ファイザーと国との契約書** →「購入者は、本ワクチンの長期的な効果及び効能は現在知られておらず、また、現在知られていない本ワクチンの副作用が存在する可能性があることを認める」
6. **ファイザーが日本政府に提出した「薬物動態試験の概要分」**（動物実験）→ワクチン成分が卵巣に高濃度に蓄積される。（この資料はPMDA（独立行政法人 医薬品医療機器総合機構）のサイトにあるが、〈PF-07302048 薬物動体試験の概要文〉でピンポイントで検索しないと出てこないように、一般の目には触れづらくしてある）

コロナワクチンは、まともに情報を入手すれば、接種する選択肢

は絶対にと言っていいほどあり得ない、危険で効果の期待できない代物だ。しかも生殖機能へのダメージを受けてしまったら、一生取り返しのつかないことであり、日本の将来にも大きく関わる極めて深刻な事態になるのだ。

**【黒幕】**

以下の状況証拠を持っているだけで断定することはできない。

**1. パンデミックのシミュレーション**

① ロックフェラー財団が2010年に発行した「技術と未来の国際社会の発展のシナリオ」中の「ロックステップ」でパンデミックのシミュレーション→ウェブサイトあり

② ゲイツ財団などが主催した「イベント201」で新型コロナウイルスパンデミックの詳細なシミュレーションを実施→ウェブサイトあり。

**2. ビル・ゲイツの動き**

①ゲイツ財団は従来よりワクチンに多額の投資をしており、アフリカやインドで実験的なワクチンの強制投与で多数の被害者を出し、訴訟も起こされている。

②ゲイツ財団はWHO、GAVI、コロナ遺伝子ワクチンに多額の出資

③2015年のTEDカンファレンスで「今後数十年で何かが1,000万人以上を殺すとすれば、それは戦争よりも感染力の高いウイルスである可能性が高い」とした上で「現在、世界の人口は68億人です。90億人まで増加します。しかし、新しいワクチンや保険医療、生殖関連で充分な成果を納めれば、10%から15%抑えることができるかもしれません」と発言。

④ 2015年、ワクチンに入れた極小のマイクロチップで人々にIDを付与する計画「ID2020」の実験開始。→Webサイトあり。

**3. 世界経済フォーラム「グレート・リセット」からの展開**

① 世界経済フォーラムの2021年のテーマは「グレート・リセット」
② 内閣府「ムーンショット目標」は「グレート・リセット」を展開したもの
③ 自民党「デジタル・日本」も同様に「グレート・リセット」の展開
④ クラウス・シュワブ会長が2020年7月に出した本「グレート・リセット」（日経ナショナル・ジオグラフィック）によれば「時代に合わなくなった古いシステムを破壊して、新しいシステムに取り替える必要がある」とのことだが、同様の提案はパンデミック前の2016年に同じくシュワブ会長によって書かれた本「第4次産業革命」(日経新聞出版)に書かれている。スマートシティー、ビッグデータ、AI、ロボット、シェアリング経済、3Dプリンタ、デザイナーベビー。→「新しい生活様式」は少なくとも2016年からの既定路線であった、ということ。
そこに都合よく、たまたま新型コロナパンデミックが起きたのか、自分たちで意図的に起こしたのかと言えば、後者と考えるのが自然だろう。

以上のように、状況証拠を見る限りビル・ゲイツは明らかに主犯格であるが、彼の意図を確実に示す証拠は入手できていないため、取材の中では状況証拠を提示するに留める。

＊＊＊＊＊＊＊＊＊＊＊＊＊＊＊＊＊＊＊＊＊＊＊＊＊＊＊＊＊＊

要点だけでわかりにくいと思うので、詳しく知りたい方は、拙著「新型コロナ真相謎とき紙芝居 増補改訂版」（クラブハウス）をぜひ読んで欲しい。

これとは別に、私が2020年の時点でまとめた、「新型コロナ5つのトリック」と題するものをご紹介する。コロナパンデミックの仕掛けのメカニズムだ。

**トリック1**：捏造した怖い映像と情報「感染すると突然死する」「無症状者からも感染する」「治療薬がない」を使って、新型コロナを未知の恐ろしいウイルスに見せかける。
**トリック2**：感染しているかを判定できず、新型コロナウイルスの断片がわずかでもあれば陽性判定し、それを感染者扱いするインチキPCR検査で偽の「感染者」を量産。
**トリック3**：「無症状の感染者から感染する」と根拠のない噂を拡散し、マスク、ソーシャルディスタンスなどを強制し、経済と生活を破壊。
**トリック4**：PCR検査陽性者を、本当の死因に関係なくすべて「コロナ死者」ということにし（2020年6月18日の厚労省通達）、モルヌピラビルやアビガンなどの危険な治療薬を投与して亡くなった人もすべてコロナ死にしてコロナ死者数を大幅水増しし恐怖を煽る。
**トリック5**：指定感染症2類相当に指定し、陽性者を入院・隔離することで恐怖を煽りつつ、政府や自治体に経済を止める権限を与え、経済と医療を崩壊させる。

最後にもうひとつだけ、コロナパンデミックが意図的に起こされたものであることを補強する証拠を提示する。

米国のプロジェクト・ヴェリタスが、ファイザー社の研究企画部長であるジョーダン・トリスタン・ウォーカーから、同社が新型コロナウイルスの変異株を作る計画をしていたとの発言を、隠し撮りにより入手したのである。**ファイザー社が変異株に対するワクチンをいち早く作るために、自ら変異株を作る計画があったと話している。武漢で新型コロナウイルスが発生したのも、同様にウイルスを人工的に作り出したのだろう**と話している。つまり、**マッチポンプ**である。

**著者の判定**：100％の事実。そう遠くない時期に「偽パンデミック」として歴史に記録されるはずだ。

## ■陰謀論6「尾崎豊、三浦春馬、竹内結子などの有名人の事故死・自殺は実際は他殺であり、安倍元総理の暗殺犯は別にいる」

### ① 三浦春馬さんの死について

・2020 年 7 月 18 日の 14 時 10 分に死亡が確認されたとされているのに、台湾、中国では7月 17 日に死亡記事が書かれていた。国内でも 7 月 17 日や 18 日の早朝に三浦春馬さんの訃報の速報を見たとの証言がある。となると 7 月 17 日の時点で三浦春馬さんは亡くなっており、それを所属事務所が知っていたことになるのではないか？　所属タレントの死亡情報を流すのは普通は事務所だからだ。

・クローゼットでの首吊りだと報道されたが、使用された紐は伸縮性のある細い紐。しかもクローゼットのバーの高さ（160 センチ）と三浦春馬さんの身長(178 センチ)が合わず、首吊りできないはず。その後、遺体を発見したマネージャーは「取っ手で首を吊っていた」と証言を訂正した。

・7 月 17 日をもって契約終了して独立する予定だった。タイミングが良すぎないか？

・その他にも最初の報道内容と、後日発表内容とで、死亡した場所(自宅→病院)、発見の経緯、遺書の有無などがガラッと変わっている。

・遺書のない変死事件であるにもかかわらず、検死と解剖が行われず、そのまま自殺で処理をされている。

・警察が三浦春馬さんの自宅を現場検証する前に、三浦春馬さんが自殺したという速報が流れている。

・なぜか亡くなった翌日に早くも火葬されている。

三浦春馬さんが暗殺だとした場合、その背景を探ると以下の情報が出てくる。

三浦春馬さんが所属していたアミューズは、チャリティー目的の Act Against Aids（AAA）コンサートを毎年のように開いており、三浦春馬さんはそれに熱心に参加していた。

AAA コンサートは 2020 年 7 月 20 日まで行われており（以降は名称を Act Against Anything に変更して、目的を様々な病気で苦しんでいる子どもたちへの支援に変更)、アミューズは AAA コンサートの収益金を日本ユニセフ協会など3団体に寄付している。

そこからさらにラオスのラオ・フレンズ小児病院に渡されることになっているが、どうやら三浦春馬さんは実際にラオ・フレンズ小児病院を訪れた結果、AAAの収益金がきちんと小児病院に回されていないことに気付いたらしい。そしてそれを改善するよう事務所に提言すべく、事務所の岸谷五朗さんに相談したが、それが会社に伝わって会社から孤立させられるようになったようだ。

日本ユニセフ協会の活動の一つに子どもの保護（人身売買や子どもに対する暴力から）があるが、子どものための組織が実は児童誘拐、人身売買の温床になっているとの情報がある。

2021年2月18日のニュースウィークの記事によれば、インドのマザー・テレサが設立したカトリックの慈善団体が、子どもたちの売買に関与した疑いで調査されているとのことだ。

2018年には、マザー・テレサの慈善団体の修道女らが、550ドルから1450ドルの間で、子どものいないカップルに赤ちゃんを売っていたことが発覚している。

三浦春馬さんは、日本ユニセフからのお金の流れに疑問を持って追及した可能性があるが、もう一つの可能性として、アミューズの保養所の件がある。

豊島の海岸に並ぶ不気味な子どもの像

この島はジェフリー・エプスタインのエプスタイン島にちなんで、日本版エプスタイン島と呼ばれている。ジェフリー・エプスタインとは自分の保有する島の豪邸に少年少女を集め、そこに歴代大統領や英国王室、経済界の大物、大物俳優などを集めてはレイプや拷問、悪魔儀式を行ったと言われており、2019年に少女買春などの罪で逮捕、その後収監先の拘置施設内で死亡しているのが発見された人物である。

2019年8月末には、小児性愛の巣窟であることが発覚して揺れているハリウッドの大物俳優キアヌ・リーブスを、アミューズ執行取締役の香川健次郎氏が豊島保養所竣工披露宴に案内している。

豊島には、その他にも、悪魔儀式が行われる施設に共通する特徴が見られるので、豊島で行われた芸術祭自体がその目的で行われ、儀式の会場として保養所が作られた可能性がある。

ちなみに芸術祭の主催者はベネッセコーポレーションである。ベネッセもかなり危ない会社との噂がある。ベネッセは日本ユニセフ協会と非常に近い関係にあり、外務省の創価学会員であった小和田恒（雅子皇后の実父）が日本ユニセフ協会の認可を下した経緯もあり、創価学会との関係も深そうだ。

2020年から立て続けに亡くなった、三浦春馬、階戸瑠璃、芦名星、竹内結子、藤木孝、津野米咲、窪寺昭、神田沙也加、上島竜兵、渡辺裕之のいずれもがこのAAAコンサートに熱心に取り組んでいたそうだ。全員が三浦春馬さん同様、これらの闇に気付いて消された可能性はあるだろう。

**② 安倍元総理暗殺に関して**

・犯人とされた山上徹也容疑者の手作りの出来の悪い散弾銃による暗殺とする公式見解と、安倍元総理の治療に当たった奈良県立医科大学病院の福島英賢教授の会見内容とでは、銃槍についての見解が全く食い違っている。

銃撃の場面を見ると、安倍元総理は外れた1発目の銃声の後、後ろを振り返ったところを山上容疑者に横から銃撃されているように見える。しかし福島教授の会見によれば傷は首の２か所にあり、１発が心臓に達していた。

この傷が散弾銃によるものだとすると、弾の軌道と傷が合致しない。

サイト『タマちゃんの暇つぶし』より
「安倍狙撃シミュレーション」の１シーン

コンピューターシミュレーションにより検証したサイトによると、弾は演説場所の両側にある２つのビルの屋上から撃たれると、ちょうど安倍元総理の傷と一致する。

また、２発目の銃撃の直前に、右の襟が一瞬はためいている。これは弾が襟元付近を通過した際に起きる風によるものとの解説をネットで見た。この事件の検証記事が、先ほども挙げた「月刊WILL 2023年７月号別冊 もう陰謀論とは言わせない」にも載っているので参考にして欲しい。

**③尾崎豊さんの死について**

尾崎豊さんの死の真相については、かつて聞いたことがあったと思うが、遠い昔の話で記憶から消えていたので取り上げるつもりはなかった。しかし、

・私のコロナ替え歌第３弾で尾崎豊の「15の夜」を取り上げたこと（第８章参照）

・その経験の中で尾崎豊が1980年代という非常に早い時期に、第８章で取り上げる社会のおかしなことにいち早く気付き、発信して

いた先駆者であったことに驚嘆し、尊敬の念を抱いたこと
・その後、たまたま近所の民家の前の「ご自由にお持ち下さい」と書かれたテーブルの上に尾崎豊の本だけが３冊置かれており、それを持ち帰って読んだこと
という３つの経験があったため、尾崎豊さんが私に「自分のことを書いてくれ！」と言っているような気がしてならず、書くことにした。
ちなみに持ち帰った本は「弟尾崎豊の愛と死と」（尾崎康著、講談社）と「尾崎豊 Say good-by to the sky way」（尾崎康他著、リム出版）だ。

この本の情報を中心に、亡くなる前日からの経緯を書く。
1992年4月24日。尾崎は朝から体調が悪かった。しかし17時からビール会社主催のパーティーが予定されており、体調不良を押して、妻の繁美さんと一緒に参加した。
会場で尾崎は以前からの知り合いのＴなど仲間３人と一緒になり、茂美さんを含む５人で地下の店で飲み直し、22時半には芝浦のディスコ、23時には寿司屋、その後はフランス料理屋に行き、茂美さんは途中で帰った。尾崎はウイスキー、日本酒をかなり飲んだようだ。
深夜１時半頃に、Ｔが尾崎をタクシーに乗せて帰した。
タクシー内で尾崎は運転手ともめたらしく、自宅まで行かずに、自宅から1.2キロほど離れた交番の前でタクシーを降り、歩き出した。警官に「大丈夫か？」と訊かれたが「大丈夫」の意味で手を振って答えたそうだ。
尾崎が発見されたのは４時半頃、とある民家の庭先で、全裸で全身は傷とアザだらけだった。５時頃にその家の人が発見して救急車を呼び、病院に運ばれた。

７時過ぎ、病院に駆け付けた繁美さんに尾崎は「家に帰りたい」と言い、医者は深酒によるものと診断し、繁美さんが自宅マンショ

ンに連れ帰った。

その時はシャツとジーパンを身に付けており、裸足だった。

兄の康さん、マネージャーの大楽さん、繁美さんの三人で看病していると、尾崎は苦しそうに七転八倒し、ドス黒いものの混じった黄色い液体を２度吐き出した。

22時頃、尾崎は眠り始めたように見えた。

23時頃、脈がなく、呼吸も止まっていることに大楽さんが気付き、救急車を呼ぶ。尾崎は日本医科大学付属病院に搬送され、そこで死亡が確認された。

死因は肺水腫と報道されたが、肺水腫の原因となったのは、体内から検出された、**致死量の2.64倍の覚醒剤**だった。

一方で、警察の死体検案書には死因が**「外傷性くも膜下出血」**と書かれていたとの報道もあったそうで、実際の死因がどちらかははっきりしないが、死に繋がりかねない２種類のダメージを尾崎は受けていたことになる。

週刊誌に掲載された尾崎豊の遺体写真

他殺だと仮定した場合、怪しいのは繁美さんとＴだが、実際に「他殺」だとして繁美さんを被告とする裁判が行われたが、原告が完全敗訴している。

彼に集団リンチしたと証言する人物が現れたり、尾崎家は両親を含めて全員が創価学会員だったが、事件当時までには繁美さん以外は脱会しており、ライバルである日蓮正宗に入っていた、との情報もある。

色々調べているうちに、核心を突いていると思われる情報に行き当たった。「生きること それは死ぬまでにみる夢」というサイトだ。

それによれば、

・当時、**尾崎豊は女優の斉藤由貴さんと恋愛関係にあり、繁美さんと別れたがっていた。**

・繁美さんは離婚の慰謝料のことで、ある友人に相談していた。

・友人は慰謝料として「３億円は取れるはずだ」とアドバイスし、繁美さんは尾崎に３億円を要求する。

・それを聞いて尾崎は一旦は離婚を諦める。

・しかし尾崎は覚醒剤による逮捕からの復活アルバム「放熱への証」のCD売り上げとコンサートツアーの収益から３億円を払って離婚するつもりだった。

**・繁美さんの友人は離婚するよりも尾崎に死んでもらった方が、遺族としてより多くの金を得ることができる、と暗殺を仄めかし、繁美さんは説得された。**

・パーティーが終わり、会場の向かいのホテルのラウンジで待ち構えていたのは繁美さんの友人のT、Tの彼女、Tの友人W氏だった。

・Tが尾崎を２次会に誘うと、渋る尾崎に対して繁美さんが「行ってくれば？」と誘導。尾崎が渋ったのは、Tは尾崎が最も警戒していた人物だったからだ。

・繁美さんを残して４人でディスコへ。ここで尾崎はTによって覚醒剤を盛られたと見られる。

**・Tは尾崎と同級生だったが、覚醒剤の売人として地元では有名な男だった。尾崎に覚醒剤を教え、そして尾崎に繁美さんを紹介したのがTだった。Tは繁美さんと恋人関係にあったと言われている。**

以上の情報が事実であれば、繁美さんが満身創痍の尾崎を病院から連れ帰ったこと、繁美さんが尾崎の傷を隠し、康さんに伝えていなかったらしきこと、繁美さんがパーティーから先に帰って来たことなど、不可解な点の説明が付く。

尾崎を家に帰すことを許した病院、事件性なしとした警察、繁美さんを無罪とした裁判など、釈然としない点はあるが、これらの組織が特定勢力からの圧力を受け、事件を隠蔽することはよくある話なので不思議ではない。

**著者の判定：**三浦春馬さんに関しては、すべてがおかしく、自殺だとする報道が事実でないことは間違いないだろう。他殺だとすれば、第一発見者であるアミューズが関わっていることは確実で、豊島の保養所の目的に気付いて消された可能性があるが、ここに関しては推測の域を出ない。しかしこれだけの数の芸能人が立て続けに消されたとなると、巨大な、絶対に表に出てはいけない秘密に触れたはずで、この仮説を荒唐無稽とは言えないだろう。なのでこれも「有力な」とまでは言わなくていいが１つの「仮説」と呼んで欲しい。

安倍元総理に関しては、山上容疑者による暗殺の線はゼロで、２人の狙撃犯による暗殺と見てほぼ間違いない。真犯人に関しては、「日本終了に蠢く黒幕の正体」（ベンジャミン・フルフォード＋国際城Ｈ城ファクト研究所著）に、ある著名な国際ジャーナリストの話として、以下のように書かれている。

「安倍元首相は退任前、米政府に対して、数年内に起こる“ある紛争”に「自衛隊が参戦可能とするために憲法改正を果たす」と約束していたとされる。そのタイムリミットがすぎてしまったことで、米政府を支配するディープ。ステートの命を受けたCIAに消された。そして、それを岸田首相に見せつける必要があるため暗殺された、というのだ」。暗殺と言えばCIAなので充分にあり得る話だ。～船瀬俊介氏とベンジャミン…うなずける。

尾崎豊さんに関しては、私の裏付けが取れていないので何とも言えないが、繁美さんとTによる個人的な目的での殺人である可能性はかなり高いと感じるが、病院、警察、裁判所がグルだとすると、もっと大きな動機があったのかもしれない。いずれにしても自殺説は全く説得力がない。

## ■陰謀論7「気象・地震兵器が存在し、台風、洪水、旱魃、地震などを起こしている」

まず初めに、ある条約の存在を提示しておく。

それは、1976年12月10日に国連総会で採択され、1978年10月5日に発効した「環境改変技術の軍事的使用その他の敵対的使用の禁止に関する条約」である。

この条約では、第1条で「環境改変技術の軍事的使用、敵対的使用」を禁止する一方、第3条で「平和的使用」を認めている。

つまり、「環境改変技術（気象兵器）は存在し、あるいは開発途上にあり、他国の攻撃に使ってはいけないが、自然災害を未然に防ぐなどの平和的目的であれば使っていい」ことを意味している。誰も考えてもいない、実現性のない技術に関して条約を締結することなど常識的に考えてあり得ないからだ。

とは言え、これだけでは気象兵器が実際に存在する証拠とはならないので、次に具体的な気象兵器の存在証明について見ていく。

以下は2010年に出版された「気象兵器・地震兵器・HAARP・ケムトレイル」（ジェリー・E・スミス著、成甲書房）に書かれている内容だ。

**【発言】**

**・「電磁波で遠くから火山の噴火や地震を人為的に起こしたり、気**

**候を変えたりする環境テロに手を染める者たちもいる。**多くの優秀な頭脳が、他国を恐怖に陥れる方法を探している。これは現実に起こっていることであり…」：米国防長官ウイリアム・S・コーエン(1997年)
・カーター政権下で国家安全保障問題担当大統領補佐官を勤めたズビグニュー・ブレジンスキーは、1970年の著書「テクトロニック・エージ」で次のように述べている。
「空間と気象のコントロールが戦略上の鍵を握る要素として、スエズ運河やジブラルタル海峡などの戦略的要衝にとってかわったのである。」

**【気象兵器HAARPとは？】**
・アラスカに設置された**HAARP（高周波能動オーロラ研究プログラム）**と呼ばれる施設が存在する。表向きは大気上層の性質を調べるための民間の研究施設ということになっているが、**プロジェクトを管理しているのは米空軍と海軍の合同委員会であり、資金は国防予算から出ている。**

アラスカにあるHAARP施設

・HAARPは無数に並んだアンテナから電離層に向かって強力な電磁波を発射する。太陽から与えられているのと同じような形で電離層にエネルギーを与え、自然現象を人工的に再現することで、太陽フレアなどで引き起こされる現象の理解を深めるため、ということになっているが・・・

・HAARP が生み出す熱は空気の分子をばらばらにする。すると電離層は極低周波（EFL）の電波を放出する。この電波は地面や海の深部まで到達する。これによって深海の潜水艦と交信したり、地球透過トモグラフィー（EPT）という技術で地下にある敵の大量破壊兵器製造施設に照準を合わせたり監視したりできる。

・電離層を加熱すると、活性化された領域がプラズマ化され、それが宇宙に広がっていく。ICBM やスパイ衛星など、電子装置に依存した物体はすべて、その部分を通過すると機能停止に陥ることになる。
・10 ヘルツの ELF は容易に人体を通過することができ、脳の周波数に対応するので、人間の思考を混乱させるかもしれないという懸念がある。
・ELF は火山や構造プレートの乱れを起こす能力を持っており、次いで気象にも影響を与える。例えば、地震は電離層と相互作用することが知られている。

**【HAARP の所有者】**

・HAARP の元になる特許は民間企業の APTI 社が所有していた。HAARP の目的を悟られないようにするためか、HAARP の特許を持つ会社は次から次へと買収され、HAARP の特許も一緒に移っている。特許を保有する会社が移転するたびに、HAARP 建設の契約も一緒に移っている。そのことが、HAARP がそれらの特許に基づいていることを雄弁に物語っている。

2004 年には BEA システムズ社が、HAARP のフェーズドレイシステム向けに 132 基の高周波送信装置を建造する契約を国防高等研究計画局（DARPA）より受注した。

プロジェクトが始動して間もなく、海軍研究局は HAARP の公式ホームページを開設し、空軍も情報を提供するサイトを作った。現在、HAARP に関する新情報のほとんどは国防高等研究計画局（DARPA）のサイトで発表されている。

つまり、実際の所有者はアメリカ軍であり、アメリカ政府なのである。

**【HAARPに対する各国の懸念】**

・1998年、欧州議会にHAARPに関する決議案が提出された。「環境に多大な影響を及ぼす可能性のあるHAARPは国際的な懸案であり、法律、環境、倫理的問題を国際的な独立機関により検証する必要がある。（中略）HAARP計画の環境的、社会的なリスクを判断するための情報を公聴会に開示することを米国政府が繰り返し拒否していることを遺憾に思う。」

・2002年8月ロシアのインターファクス通信が、ロシア下院がHAARPが「質的に従来と異なる新型兵器」の開発計画であるとして懸念を表明したと伝えた。

**【発言】**

・アメリカ・ミネソタ州の元知事は「アメリカが保有するHAARPという名のシステムが、日本の地震や津波など、多くの自然災害を引き起こしている可能性がある」と述べた。

・2010年にハイチで大地震が発生した際、多くの専門家が、アメリカがHAARPシステムを使ってこの地震を発生させた可能性があると指摘している。

**著者の判定：**HAARPの存在は紛れもない事実であり、所有者、特許の内容からも気象兵器であることは間違いなく、「環境改変技術の軍事的使用その他の敵対的使用の禁止に関する条約」の存在と合わせて、「気象兵器が存在する」のは100%の事実と言っていいだろう。

HAARPにより地震を起こせるかについては断言はできないが、可能性は十分にあると考えられる。「地震兵器が存在する」という命題は、「有力な仮説」だ。「陰謀論」と言ってはいけないし、「デマ」もダメだ。

## ■陰謀論８「ケムトレイルは存在する」

ケムトレイルとは、「化学物質を撒き散らした跡」との意味の言葉だ。航空機によって化学物質を撒き、一見すると飛行機雲のように見える白い航跡がいつまで経っても消えないどころか、時間の経過とともに風で拡散され、薄い雲を作り出す。私はその存在を2011年に初めて知り、そこから空を観察するようになり、会社が横田基地に近かったこともあり、横田基地の米軍機がケムトレイルを撒いているところをずっと見て来た。

ケムトレイルが観測されるようになったのは1980年台前半と言われている。ケムトレイルを撒いているのは主に米軍機で、自衛隊機や民間の旅客機でも撒かれている証拠写真がある。

目的はいくつもあるようで、

・気象操作
・廃棄物処理
・人々を病気にするため

といった説がある。

知り合いのジャーナリストの高橋清隆氏が元米軍人にインタビューした内容が以下のもの。

飛行機から出る白い煙には２種類ある。すなわち、ハイブリッド燃料とケムトレイルである。前者は有害な燃料を普通のジェット燃料に20～25％ほど混ぜて使うもの。理由は費用が安上がりで、飛行性能も高いから。オスプレイ、C-130J、C-12など日本で飛ぶ全ての飛行機で使われている。普通の燃料よりエンジンが静かで黒い煙が出ず、悪臭もしないため住民には歓迎されるが、実際は人体や動植物に有害だという。特に生殖機能に障害をもたらし、飛行区域の女子中学生が生理にならない現象が見られる。

ハイブリッド燃料とケムトレイルに共通する物質として、**鉛、水銀、ヒ素、ラジウム**を挙げた。ケムトレイルはそれらに**アルミニウム、**

**臭化セシウム、プルトニウム**が加わる。目を引くのは放射性元素だ。スパロウ氏によれば、米軍は日本領土に核を保有していてその廃棄物だという。

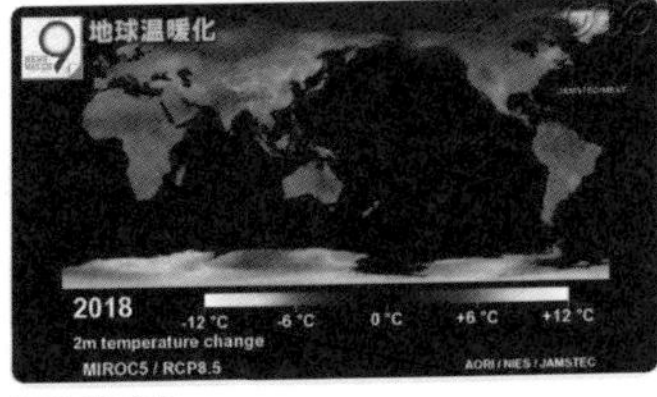
ニュースウオッチ9
@nhk_nw9
Follow
年々進む #地球温暖化 。いま世界ではある技術を使った"劇薬"ともいえる対策の導入が検討されています。 #ジオエンジニアリング というこの技術。地球の気候を人為的に変える技術です。例えば上空に微粒子を撒いて太陽光を反射させるというもので、いま実験が始まっています。 #nhk #NW9

2:41 AM - 7 Dec 2018

NHK がケムトレイルのことを指すと思われる気象操作の技術を
" ジオエンジニアリング " として紹介したが、記事はすぐに削除された

ハイブリッド燃料はエンジンの排気口から、ケムトレイルは翼端から出る。前者は4万フィート（約1万2000メートル）未満の高度で、後者はそれ以上の高度で飛ぶ。「核物質などは地上に捨てられないから、上から捨てる」とのこと。「表向きには気象操作と言っているが、本当は悪いものを捨てるため」と吐露した。

それが本当の目的なのか。単刀直入に尋ねると、「私の見解では、ケムトレイルの本当の目的は核廃棄物を捨てるため」と答える。筆者が「人を不健康にしたいからでなく？」と念を押すと、「私はそうは思わない。ただ、在日米軍はそれらが人体に有害であることを知っている」と指弾。「米国政府は恐らく知らないが」と補足した。
(中略)

米軍が使用する燃料には、生殖毒性がある。米軍基地の近くに住む若年女性は気を付けるべきだろう。また、ハイブリッド燃料とケムトレイルにより、鉛、水銀、ヒ素、ラジウム、アルミニウム、セレン、プルトニウムといった重金属（あるいは放射性物質）

が散布される。

気象操作というのは表向きの理由で、本当の理由はもっと単純。「核廃棄物を捨てるため」。(以上、高橋清隆の文書館：http://blog.livedoor.jp/donnjinngan.../archives/2035249.html より)

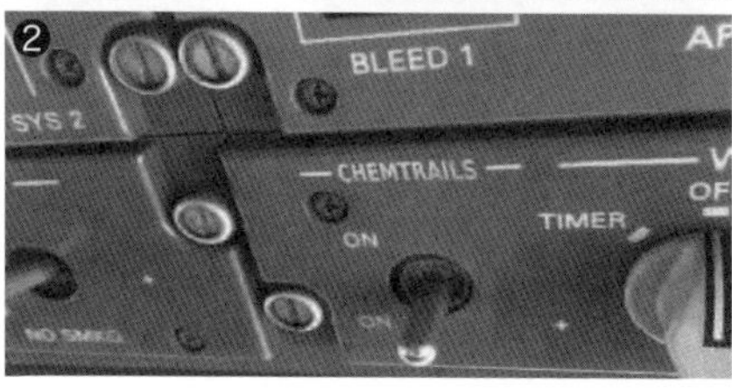

❶大量のケムトレイルを噴き出す飛行機（おそらく米軍機）
❷操作パネルにはケムトレイル用のスイッチがある
❸ケムトレイルのパイロットが手に持つワッペン

大気中に何らかの粒子を散布することで気象操作する米国特許は山ほどあり、ケムトレイルの証拠写真も多数出回っている。

2016 年にジョン・ブレナン元 CIA 長官が、“成層圏エアロゾル噴射 (SAI)”という政府の最も広く使われている地球工学技術を自慢しているし、2022 年 11 月にはバイデン政権が「ケムトレイル」を研究する 5 ヵ年計画を発表し、特に気候変動に対抗するために使用することを明らかにしている。

**著者の判定：**ケムトレイルの存在はどう考えても 100% の事実である。その目的のひとつが気象操作であることは特許から間違いないが、廃棄物処理、人々を病気にするため、に関しては証拠がないので断定はできない。

## ■陰謀論9「支配者たちは人口削減をもくろんでいる」

人口削減計画に関する歴史を見て行くと支配者層の望んでいるものが見えてくる。

・1826年　「人口を一定に保つために、必要な数を越えたすべての子どもたちは、大人の死によって空きが出た時を除いて必ず消滅させなければならない。」(マルサス「人口論」)

・同じ頃　優生学が誕生。優生学とは、知的・肉体的に優秀な人間の創造を目的として、人的な要素を介入させることによって、人間の遺伝子を改良することを提唱した学問。目的達成手段として、産児制限や人種改良、遺伝子操作を含む。

・1900年頃　C・ダーウィンは適者生存という言葉を創造し、H・スペンサー、ロックフェラーを感化して、貧しい人々や無防備な人々を助ける政府の政策に反対した。

・1912年　「不健康な者の繁殖を防ぐこと」を目的とした第1回優生学国際会議がロンドン大学で開催された。

・1919年　マーガレット・サンガーが『産児制限評論』を執筆し、『健康な人の子供を増やし、健康でない人の子どもを減らすこと、これが産児制限の主要課題である』と、産児制限運動の目的とし、『我々の文明の水準を上げるために使われるべき資金が、生まれてはならない人々の維持に転用されている』と述べた。サンガーはナチ党員となった。

・1932年　第3回優生学会議が、知能テストが低い1,400万人のアメリカ人を不妊化するよう呼びかけた。マーガレット・サンガーが家族計画を設立して推進する人口管理の中心となった。

・1939年～1941年　ナチスドイツにおいて、精神的もしくは肉体的に不適格と見なされた数十万人の人びとに対して強制的な断種を行ない、施設に収容されていた27万人が医者によって命を奪われた。

・1948年　ロックフェラー一族が旗を掲げ、資金を拠出し、産児制限運動を押し進めた。家族計画連盟のヴォーグが1948年に書いた本によって文明を破壊する「人口爆弾」が存在すると説得した。ムーアは財産とエネルギーの多くを、人口抑制への支持を取り付けることに注いだ。

・1969年　ニクソン大統領は人口問題評議会の創設者であるネルソンの弟ジョン・D・ロックフェラー3世を『人口増加とアメリカの未来に関する委員会』の委員に任命した。

・1969年　世界的なネットワークを持つ人口抑制のための組織「計画的親子関係」所属のリチャード・デイ博士が行なった講演で、生殖に繋がらないセックスの奨励や性行為を伴わない生殖、新しい病気の創造、効果的な癌治療を抑制する「指示による」計画など、人口抑制を奨励する彼らの活動内容の詳細を観衆に説明。

・1969年　国防総省勤務の生物学調査研究の管理者ドナルド・マッカーサー博士が軍の予算の議会小委員会で「5年から10年以内に、人に伝染する微生物細菌を作り出すことが可能になるだろう。その細菌は今まで知られている病気を引き起こす病原菌とは、ある重要な点において全く違うものになるだろう。この病原菌で最も重要なことは、我々が伝染病から身を護るのに頼っている免疫と治療のプロセスに耐性を持つかもしれないことである。」と発言。(AIDSのことと思われる)

・1970年　ニューヨーク州ネルソン・ロックフェラー知事が中絶合法化法案に署名した。

・1970年　イギリスのフィリップ殿下は、「生まれ変わったら、致命的なウイルスになって、人口過剰の解決に貢献したい」と語った。

・1970年 「国際的な計画的親子関係連合」のアメリカ支部の下部組織が出している雑誌「家族計画の前途」の書かれている行動指針には以下のものが含まれる。

- 結婚の延期や防止
- 同性愛の励行
- 受精を抑制する物質を飲料水に混ぜる（フッ素で実行した）
- 女性の就職を奨励
- 女性に働くことを要求し、子供を預かる施設を設けない

・不妊手術を促進するための奨励金

・1970年　資源・人口・経済・環境破壊などの全地球的な問題を討議するために集まった、世界各国学識経験者100人ほどからなるシンクタンク、ローマクラブが結成される。

・1972年　ローマクラブが報告書「成長の限界」を発表。人口増加や環境汚染がこのまま続けば、100年以内に地球上の成長は限界に達する、という衝撃的なものだった。

・1972年　バーナード・ベレソン（自校評議会会長)、フレデリック・ジャフェ・メモ（家族計画連盟人口担当副会長）などほとんど民間人で構成されるロックフェラー委員会が人口削減要求報告書をニクソン大統領に提出した。しかし、大統領は何も行動を起こさなかった。

・1974年　ヘンリー・キッシンジャーが「人口削減は発展途上国に対するアメリカの外交政策の最優先事項であるべきだ」と発言。キッシンジャーは、国際通貨基金（IMF）や世界銀行が発展途上国に融資するときの条件の1つに、人口削減プログラムの推進を加えることを提唱。

・1975年　国家安全保障研究覚書200を公式方針として採択した(中絶の合法化、世界規模の避妊、一世代で不妊になる予防接種（ビル・ゲイツ）ほか)

・1975年　アメリカ外交問題評議会が『60億人』と題する本を出版した。人口増加を抑制するために第3世界の都市化縮小を要求した。

・1976年　アメリカの国際人口政策に関する最初の『年次報告』。ヘンリー・キッシンジャーは『健全な』人口減少の地球というユートピア構想の暗い側面は『自由のいくつかの要素を制限する』ことだけではないことを指摘した。

・1977年　ポール・エリックとアン・H・エーリックおよびホールドレンが『エコサイエンス』を出版した。彼らは過剰人口に対して、任意の家族計画から、指定された数の子どもを出産した女性に対する強制不妊手術を含む強制的な人口コントロールまで、様々な解決策の可能性について議論し、避妊や中絶へのアクセスなど『家族の人数の好みに影響を与えるためのより穏便な方法の使用』を推奨。

・1982年 30億人抹殺計画『グローバル2000報告書』が出版された。ほとんどの人間を排除して機械やロボットに置き換え、少なくともロボットがお互いに修理できるようになるまで、メンテナンスと稼働を維持するために何人かを残す計画を策定した。大量虐殺構想は、元々10年ほど前にローマクラブによって始められた。

・1993年　ジェラルド・バーニー博士は『グローバル2000改訂版』において、『家族計画』や『責任ある親としてのあり方』のような新しい標語を採用し、『出生管理』の言葉を避けた『新しい宗教』を用いて、『出生管理計画』の革新が標的であると述べている。

・2006年　進化生態学者エリック・R・ビアンカ博士は、世界人口の90%を殺すには空気感染するエボラが必要であり、戦争や飢餓では不十分であると公言。

・2013年　テッド・ターナーが世界の総人口は、現在より95%少ない2億5,000万〜3億人が理想的と主張した。

・2015年　TEDカンファレンスにおいてビル・ゲイツは「ワクチンを使えば人口を10%〜15%抑制できる」と発言。

・2017年　我らの小泉進次郎氏が「悲観的な1億2,000万人より、自信に満ちた6,000万人の方がよい」と発言。

**著者の判定：**以上の歴史を見ると、**「優れた遺伝子のみを残すべき」とする優生学と人口削減とは表裏一体の考え方**であることを理解頂けたかと思う。

**支配者層が人口を多過ぎると考えているのは明確な事実**であるし、人口抑制のための様々な方策を検討し、実行してきたことからも「事実」と言っていいだろう。議論になるのは、どの程度の削減を狙っているかくらいだろう。

アメリカのジョージア州にあったモニュメント「ジョージア・ガイドストーン」には「人類は5億人以下を維持する」と書かれていたが、2022年7月6日に何者かによって破壊された。

破壊されたジョージア・ガイドストーン

## ■陰謀論10「支配者は世界統一政府を目指している」

新世界秩序あるいはニューワールドオーダーという言葉を聞いたことはあるだろうか？ New World Order、つまり「新世界秩序」と訳される。国境をなくし、世界統一政府により統治しようという動きだ。

新世界秩序に言及している政治家は1人や2人ではない。
・ジョージ・H・W・ブッシュは1990年9月11日、『Toward a New World Order』（新世界秩序へ向かって）と題した演説を連邦議会で行なった。

・その他にもデイヴィッド・ロックフェラー、ヘンリー・キッシンジャー、ジョージ・ソロス、ビル・クリントン、トニー・ブレア、ジョー・バイデンが新世界秩序に言及している。

・2018年にはジャック・アタリがそのままの題名のベストセラーを発表。

また、**世界統一政府を作ることに目的に活動している「世界連邦運動（WFM）」という組織がある。**
その日本支部が「世界連邦運動協会」であり、与野党問わず国会議員が多数参加しており、鳩山由紀夫氏もかつて会長を務めていた。そのウェブページによれば、「世界連邦とは、世界の国々が互いに独立を保ちながら、世界規模の問題を扱う一つの民主的な政府（世界連邦政府）をつくることです」とある。

世界連邦運動協会の Web サイト

より具体的に、「世界統一政府」に言及した発言には以下のものがある。

・デイビッド・ロックフェラーは自身の回顧録で次のように語っている。
「1 世紀以上にわたり、イデオロギーで凝り固まった過激派は、…広く報道されている事件を持ち出してきては、ロックフェラー家がアメリカの政治・経済団体に過度な影響力を及ぼしていると主張し、攻撃してきた。その中には、私たちが米国の国益に反する秘密結社の一味であると考える人もいる。私たち家族を「国際主義者」と呼び、緊密に統合された世界の政治・経済構造、いわゆる「一つの世界（One World）」を構築するために世界中の人々と共謀していると考えているのである。それが私の罪名であれば、私は有罪だ。そして、そのことに誇りを持っている。」

・外交問題評議会は、米国の対ソ戦略にも大きな影響を与えた外交・国際政治専門雑誌『フォーリン・アフェアーズ』を発行し、アメリカの対外政策に最も強い影響力を持つとされるシンクタンクだ。

外交問題評議会（CFR）が持つ影響力について、CFRのメンバーを20年にわたって務めた米海軍法務総監（軍の法務部門トップ）のチェスター・ワードは、次のように評している。

「**CFRは、米国の主権と独立を強力な世界統一政府の下に置くことを目標としている。**…米国の主権と独立を放棄したくてたまらないという思いは、メンバーのほとんどに浸透している。…CFRの辞書では、「アメリカ・ファースト（米国第一主義）」ほど忌むべき言葉はないのである。」

・ビルダーバーグ会議は、オランダのベルンハルト王配の主導で1954年に設立された国際的な会議で、欧州と米国の有力者が世界の重要問題を完全非公開で話し合う秘密会議だ。

英国の財務相、国防相を歴任し、ビルダーバーグ会議の創設メンバーでもあるイギリス労働党のデニス・ヒーリーは、この会議について次のように語っている。

「世界統一政府の樹立に邁進していたというのは言い過ぎだが、あながち見当違いというわけでもない。われわれビルダーバーグ会議では、無益な戦いや殺し合いを永遠に続けて何百万もの難民を生み出すわけにはいかないと思っていた。それなら、**全世界を一つのコミュニティにすればいい**のではないかと感じていた。」

・デイビッド・ロックフェラーは、1991年にドイツのバーデン・バーデンで開催されたビルダーバーグ会議で次のように語っている。

「私たちは、ワシントン・ポスト、ニューヨーク・タイムズ、タイム・マガジンなどの出版社の皆様に感謝しています。こうした出版社の取締役の方々は、40年近くにわたってこの会議に出席し、秘密保持の約束を守ってくれました。この間に、この会議のことが報道によって白日の下にさらされていたら、世界に対する計画を発展させることは不可能だったでしょう。しかし、今では世界は当時よりもはるかに洗練され、世界政府に向けて進む準備ができています。知的エリートと世界の銀行家が超国家的な主権を握ることは、過去数世紀にわたって行われてきた国家の自決よりも確実に望ましいものです。」
・カーター政権の国家安全保障担当大統領補佐官となった政治学者のズビグニュー・ブレジンスキーは、次のように語っている。
「私たちは、**一足飛びに世界統一政府の樹立まで飛躍することはできない。**真のグローバル化を実現するための前提条件は、**地域統合を徐々に進めること**である。」
・「EUの父」の一人とされる実業家、政治家のジャン・モネも、次のような言葉を残している。
「過去の主権国家は、もはや現在の問題を解決することはできず、自らの進歩を保証することも、自らの未来をコントロールすることもできない。…そして、欧州共同体自体は、明日の組織化された世界に至る道のりの一里塚に過ぎない。」
（以上の情報は以下のサイトから転用した。https://seishonews.com/sign-of-the-times-world-government/）

**著者の評価：**ここまで見て来たように、世界統一政府の設立に向けて動いている組織があり、しかも政財界の多くの指導者が世界統一政府に関する発言をしている。EUなどの地域連合は世界統一政府へ向けたステップであるとの発言があるように、世界統一政府は目標としてあるだけではなく、実際にそれに向けた動きは着々と進んでいるのである。順調だとは言えないが。**地球温暖化詐欺も、世界統一政府の下準備として、世界機関が各国政府に統制を効かせるためのもの**だと言われている。
ということで私の評価としては100%確実な事実と判定する。

## ■陰謀論11「3.11は人工地震である」

「陰謀論」7で書いたように、気象兵器により地震を起こせる可能性はすでにある。また、HAARPを使ったものではないが、1944年に南太平洋地域司令官からの要求でニュージーランド政府が行った、主にTNT爆弾を使った人工津波実験「プロジェクト・シール」では30メートルの津波を起こすことに成功したと言われている（私はプロジェクト・シールのレポートを入手しているので事実である）。3.11は核爆弾による人工地震ではないかとの噂が当初からあった。一方でHAARPによるものではないかとの説もある。

以下は3.11が米国による人工地震説の証拠と言われているものである。

**・HAARPモニター**

3.11が始まる直前にHAARPが異常に活動したこと。井口和基氏の2011年3月10日のブログに「先ほどHAARPモニターを見ると、かなり大きな地震電磁波を捉えていた。最近見かけた中では最大クラスである。近々地球上のどこかで大きな地震が起こりそうである。アジアを通る大円方向である可能性がある」と書いている。当時は予測が的中したと話題になっていた。

**・気象庁の会見**

2011年3月11日、気象庁の記者会見で同庁は地震の波形を詳細に解析。その結果、最初の巨大な破壊の後に、第2、第3の巨大な破壊が連続して起こり、特殊な地震波になっていた。**こうした複雑な破壊は「極めてまれ」であり、これまでに経験はない**としている。

この会見を行った職員は、その後左遷され、2度とテレビに出ることはなくなったとされている。

**・海底掘削船“ちきゅう”**

日本が保有し、日米合同で運用する海底掘削船ちきゅうは海面から10キロの深さまでの掘削能力を持っており、目的は海底の地質の探査だ。ちきゅうは地震の直前に震源地付近で活動を行っており、地震が起きた際もその付近にいた。震源の深さは2011年3月13日の気象庁発表では10キロ（現在は24キロに修正されている）。その後しばらくの間続いた余震もほとんどが深さ10キロだった。ちきゅうが掘った穴には黄色いキャップを被せる。これを目印に原子力潜水艦がやって来て、穴の中に核爆弾を仕込むのではないかと噂されていた。

海底掘削船ちきゅう

**・クジラの大量死**

震災前の3月4日に茨城でクジラ52頭が打ち上げられた。ニュージーランドのクライストチャーチの大地震の2日前にも、ニュージーランドのスチュワート島にクジラが107頭打ち上げられていた。クジラが大量死する理由の一つに、原子力潜水艦による強烈な大音量超低周波ソナーの放出によるクジラの脳破壊がある。つまり2つの大地震の直前に震源地付近で原子力潜水艦が活動していた可能性がある。

**・3.11 地震の音が録音されていた**

3.11 地震の音を計画的にモニターしてた研究者がいた。NOAAという国際的な研究グループである。(NOAA：米国立海洋大気庁のこと。日本の気象庁に相当する)

海中で録音された音を聞くと、原爆炸裂時に出る特有の「バリバリバリバリ」という音である。

**・トモダチ作戦**

空母ロナルド・レーガンを含む約20隻もの艦船が3月13日には宮城県沖に集結している。地震が起きることを予想して備えていなければあり得ないほどの早さだ。

・東日本ハウスの株価

東方地方に拠点を置く建設会社、東日本ハウスの株価が地震の3日前の3月8日頃から急騰している。さらに、大手ゼネコン関連銘柄も地震の1週間ほど前から急に買われ始めていた。（ブログ：ザウルスの法則「3.11 株価：大災害の到来を知っている人間が常に存在する」より）

ちなみに9.11の直前にも、事件で使われたとされるボーイングなどの航空会社の株が大量に空売りされていた。事件で株価が下がることを知っていたからだろう。

・自衛隊員の証言

自衛隊の技術者15人が、3.11テロ計画を知らないで爆弾製造に携わっていたと証言している。以下がその証言。

「私と数名の仲間はペンタゴンの命令で国外で隠れて特別な爆弾を製造する使命をいただきました。その爆弾が今回の地震のために使われるとは、苦しくて辛いです。

それだけではなく、爆弾を一緒に作った技術者の仲間たちは次々に死んでいます。

今、私と行方不明になっている二人だけが残されています。

他の者たちは死にました。

今、私は車で尾行されています。」

この技術者はペンタゴンの仕事を何十年か続けていたそうだ。以前は横須賀基地の技術者として働いており、特殊な小型カメラを作っていた。現在製作中の水爆は、PN7000といい、使用する予定がすでに立てられているらしい。しかし彼はその開発チームから外されたとのこと。（Webサイト：阿修羅「暴露！311人工地震の特殊爆弾を製造した自衛隊技術者12人が暗殺！ペンタゴンの要請だった！」より）

・菅直人総理が脅されていた

3.11 直後、**イスラエルのネタヤニフ首相から菅総理に、『日本外貨の８兆ドルのうち５兆ドルよこせ。そうしないと全ての日本の原発を爆破するぞ。そして日本の沿岸に核爆弾をあと５個置いてある。それで「東日本大震災」と同じ津波を再び起こすぞ』との恐喝の電話があった。**菅総理は困惑し、その事実を全世界に発信した。

3.11 以前にも、アメリカの要求に逆らう人間は例え総理であろうと容赦なく脅されたり殺されたりしているとの噂がある。

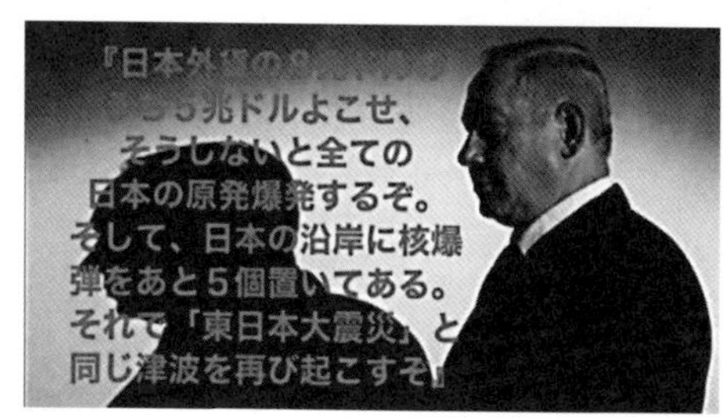


イスラエル首相ネタヤニフの発言

中川昭一衆議員議員（当時）は、米国債を売却しようとしたこと、米国債の購入を拒否したこと、IMF から 10 兆円寄付するように言われて断ったことなどから、2009 年２月 14 日の G7 財務大臣・中央銀行総裁会議での酩酊会見を仕込まれ、その後 10 月４日に自宅で CIA に暗殺されたと言われている。

竹下登、小渕恵三、橋本龍太郎などの歴代総理も米国の意向に従わない姿勢を見せたことで暗殺されたのではないかと言われている。

2004 年に起きたスマトラ島沖地震直後にブッシュは小泉に「次は日本だな」と会談の席上で非公式に語った。

**・マグナ BSP**

**福島第１原発の監視カメラや警報装置などを含む安全管理システムを設置したのは**驚くべきことに、**イスラエルの軍事関連会社マグナ BSP** だった。システムの設置は地震の１年前。敵に狙われたら日本滅亡もあり得る原発は、最も厳しい警備を敷くべき施設の一つであるにも関わらず、その安全管理を外国企業に任せるなどあり得ない。しかも**日本のすべての原発の安全管理システムをこのマグナBSP が受け持っている**という。ウィキリークス情報によると、これは米国政府からの圧力により日本政府が渋々受け入れたもののようだ。

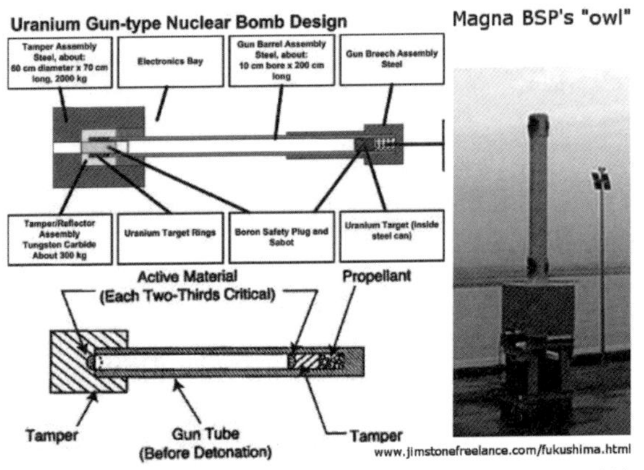


銃タイプの核兵器の構造(左)と、マグナBSPの監視カメラ「オウル」(右)

さらに、マグナ BSP が警備用カメラとして福島第 1 原発の中に設置したのが「オウル（ふくろう）」。円筒形をしており、銃タイプの核兵器の形そのものであり、重さが 450kg もある。

3 号機の爆発は、爆発の威力、黒っぽい煙の色などから当初から水素爆発ではないのでは、と言われていた。

**著者の評価：**状況証拠から見てかなり怪しく、3.11 の前から総理が米国に「言うことを聞かないと地震を起こすぞ！」と脅されていると聞いていたこともあり、私自身は 3.11 が起きた瞬間に米国による人工地震だと確信した。しかし、さすが、証拠の残らない気象兵器を使った（核爆弾かもしれないが）だけのことはあり、物的証拠がほぼ皆無である以上、3.11 が人工地震だと断言することは到底できず、人工地震である確率は 50% 程度と言わざるを得ない。しかし地震兵器の存在確率がかなりあることから、かなり有力な説であり、到底デマと言えるレベルのものではない。

## ■陰謀論 12 「UFO、異星人は存在する」

個人的には「今さら？」「存在しないと思っている人の方が少ないんじゃないの？」と思っているが、最近の状況について軽く触れておこうと思う。

2020 年 12 月にトランプ大統領が署名した 2021 年度情報機関授権法により、米情報機関が収集した UFO などのデータの詳細な分析報告書を 180 日以内に連邦議会に提出しなければならなくなった。

これを契機に、UFO、異星人情報の開示が進んでいる。そして 2023 年 3 月 20 日、「「UFO は母船から放出の探査機か」米国防総省が見解 太陽系外から飛来した葉巻型天体「オウムアムア」は母船なのか」との衝撃的ニュースが流れた。それによれば、

『これまで UFO（未確認飛行物体）とされていたものは、太陽系にやってきたエイリアン（異星人）が地球を偵察するために母船から放出した探査機の可能性があると米国防総省の当局者が明らかにした。

米国防総省は「未確認飛行物体に対する物理的制約」と題した研究論文の初稿を公表した。

論文は国防総省の全領域異常解決局（AARO）のショーン・カークパトリック局長とハーバード大学天文学部のエイブラム・ローブ学部長がまとめたもので「人工恒星間物体（恒星などに束縛されずに移動する人工的な物体）は、地球への接近通過中に多くの小型探査機を放出する母船である可能性がある」とエイリアンの母船の存在の可能性を初めて指摘し、その仕組みを次のように想定する。

「母船が地球と太陽の 2 分の 1 以内の距離を通過するときに、たんぽぽの綿毛が散るように無数の小さな探査機を放出して地球やその他の天体の調査をする。それは NASA（米航空宇宙局）が未知の惑星を探るときにまず「ボイジャー」や「パイオニア」探査機を送るのと同じだ。その際探査機は太陽の引力か独自の操縦能力によって母船から分離されるが、探査機が出す噴霧は既存の調査望遠

鏡ではその太陽光の反射を捉えられないので、天文学者は気づかないだろう」

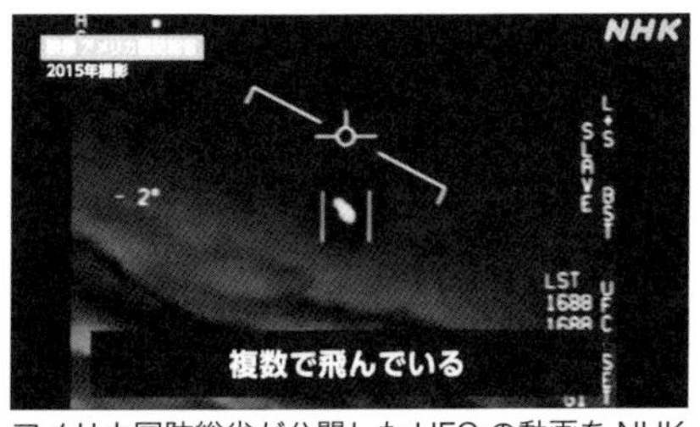

アメリカ国防総省が公開したUFOの動画をNHKが報じた。従来であれば考えられないことだ。

論文はその実例として2017年10月ハワイの天文台が発見した天体『オウムアムア（Oumuamua)』を挙げている。

それは天体観測史上初めて太陽系外から飛来した恒星間天体のことで、この天体は葉巻型で、彗星のように尾を引かず太陽系を横断しているため「人工的」なものとも考えられるようになりハワイ語で「偵察者」の意味もある「オウムアムア」と名付けられた。

この天体が地球に再接近する半年前の2017年3月9日、メートル級の流星（IM2）が地球に衝突したが、その動きはIM2と連動していることを思わせ「オウムアムア」から放出されたと考える研究者も少なくない。

これまで頑なにUFOの存在を否定して来た米国政府であるが、一転して積極的に情報を出すようになった。まだ、米国政府はUFOが異星人の乗り物であると正式に認めたわけではないが、このような報道は、異星人が存在することの事実に少しずつ人々を慣れさせていくための1つのステップであり、今後も計画的に真相を伝えて行き、最終的には異星人の存在を明確に認める予定だと思われる。

**著者の評価**：このニュースだけでも実質的に米国政府は地球外生命体によるUFOの存在を認めており、これまでに世界中で報告された膨大な証拠写真、動画、証言から100%の事実と評価する。

本書の最後に紹介するように、民間レベルでは異星人に関する情報開示が信じられないレベルで進んで来ており、政府が同様の情報開示をするのも時間の問題だろう。異星人に壮大なロマンを感じて来た私のような人間にとっては、これから夢のような時代がやって来る期待にワクワクしている。

## ■陰謀論 13「支配者層は小児性愛、悪魔儀式を行なっている」

この信じ難い話を最初に言い出したのは、恐らく第５章で触れるデーヴィッド・アイクではないかと思う。私の読んだ本の中では「竜であり蛇であるわれらが神々（上・下）」（徳間書店）においてだ。

英国王室、各国の政治家、企業のトップ、ハリウッドスターなどが、世界各国から誘拐されて来た子どもたちを、性的虐待をしたのちに、悪魔儀式の生贄として供え、殺した上でその血を飲み、肉を食べているというのだ。子どもが殺される際にはできる限りの苦しみを与え、それによって脳内で生成される物質アドレノクロムを抽出する。それを飲むことにより若返ることができると言われている。

なぜこのようなことを行うかと言うと、彼らが人間ではないからだ。彼らは人間とは異なる姿をした異星人であると言う。その姿は爬虫類のようであり、一般的には爬虫類人的異星人、あるいはレプティリアンと呼ばれている。彼らはエネルギー源として人間の血を必要とするらしいのだ。

ディズニーが実は支配者のプロパガンダ機関である証拠はたくさんある

「そんなバカなことがあるはずがない！」とほとんどの人は思うだろうし、私も最初はそう思っていた。しかし、デーヴィッド・アイクの本に書いてある内容が事実であることを裏付ける証拠が時と共に次々と明るみに出て来ているのだ。

実はディズニー映画にも、このことをテーマにしたと思われる映画がある。それは「モンスターズ・インク」だ。モンスター株式会社のモンスターたちは、夜中に眠っている子どもたちの部屋に忍び込み、脅かして叫び声を上げさせる。その際の恐怖の感情がモンスターたちのエネルギーになるので、それをタンクに詰めて持ち帰る、という訳の分からない設定だ。そして主人公のマイクと会社のマークはともに一つ目だ。一つ目は支配者側のシンボルマークだと知られている。1ドル札の裏側のピラミッドの頂上に描かれていることは有名だ。

1ドル札にはピラミッドと一つ目(すべてを見通す目)が描かれている

私もその発想を最初は全く理解できなかったが、悪魔儀式とアドレノクロムのことを知った後に「これのことか！」とひらめいた。この映画の原作者と監督は同一人物であり、悪魔儀式のことを知っており、本人自身がそれに参加している可能性も高いと思われる。

レプティリアンに関しては証拠を上げるのが困難なのでこれ以上は言及せず、小児性愛と悪魔儀式に絞って、以下に事例を上げて行く。

### ①エプスタイン事件

「クリントン元米大統領から英国王室まで、華麗な交友関係を誇っていた謎の大富豪が未成年の少女を組織的に買春していた疑いで逮捕された。「友人」らは潮が引くように去っていったが、トランプ政権の高官が辞任するなど、逆に疑惑は燎原の火のごとく広がる勢いを見せている。
未成年の少女に対して金を払って「マッサージ」と称して性的な行為をさせていた疑いで7月6日、米連邦捜査局（FBI）などに逮捕されたのはジェフリー・エプスタイン容疑者（66)。遅くとも2002年以降、14歳～17歳の少女数十人以上をマッサージと称して自宅や別荘に招き入れ、数百ドル支払って性行為などをしていた疑いがある。」
これは2019年7月30日に文春オンラインで「英王室アンドリュー王子も窮地に　未成年買春で逮捕された米大富豪の「性愛島」と「友達リスト」」との見だしの記事であり、紛れもない事実だ。
記事の引用を続ける。
「《（未成年の少女である）被害者は半裸か全裸で、同じく全裸のエプスタイン容疑者をマッサージした。すると、エプスタイン容疑者はエスカレートして陰部を直接、間接にまさぐった。こうしたときには通常、エプスタイン容疑者は自慰行為をしながら、被害者にも体を触らせ、さらに性玩具や手で被害者の陰部も触っていた》
この犯行の描写は起訴状によるものだ。場所はエプスタイン容疑者のフロリダ州の別荘だが、別荘はほかにもあった。カリブ海に浮かぶ島「リトル・セント・ジェームズ島」。エメラルドグリーンの海に囲まれた島には、衛星写真でもはっきりと大邸宅が視認できる。ブルームバーグの報道によると、数々のセレブ達も訪れたとされるこの島は、いま地元民には「乱交島」「小児性愛島」と呼ばれている始末という。
エプスタインは、児童買春の罪で2008年にも有罪判決を受けている。1,000人以上の子どもを孤島に連れて行く児童買収斡旋をしていたと言われている。
島へのプライベートジェット（ロリータエクスプレス）への搭乗記録などからエプスタインと交流があったとされるのは、ビル・クリントン元大統領、アンドリュー英王子、イスラエルのバラク元首相、ビル・ゲイツ、映画監督のウディ・アレン、モデルのナオミ・キャンベル、ルパート・マードック、マイケル・ブルームバーグ、ケネディ家要人、ロックフェラー家要人、ロスチャイルド家要人、トニー・ブレア（元英国首相）、ムハンマド・ビン・サルマン（サウジ皇太子）、元イスラエル首相のエフード・バラック、連邦最高裁主席判事のジョン・ロバーツ、トム・ハンクス、スティーブン・スピルバーグ、マドンナ、ジム・キャリー、メリル・ストリープ、メディアラボの伊藤穰一などだ。

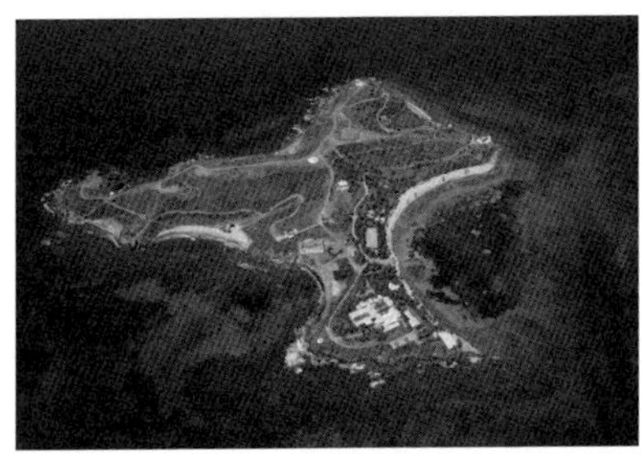
リトル・セント・ジェームズ島、通称エプスタイン島

そして島からは数十人の少女のものと思われる人骨が発見されているというのだ。

エプスタインは刑務所の中で自殺したと言われているが、実際には司法取引をして密かにどこかへ連れ去られたのではないかとも言われている。

**②ピザゲート事件**

2016年の大統領選におけるヒラリー・クリントン陣営の選対本部長、ジョン・ポデスタのメールがウィキリークスによって公開され、その中に衝撃的な内容があった。

ジェームズ・アレファンティスがワシントンDCで経営するピザ屋「コメット・ピンポン」の地下に子どもたちが集められ、そこで**生贄儀式が行われていたと思われるメールのやりとり**があったのだ。それが以下のものだ。

「ピザを1時間食べに来ない？」

「ピザの食べ放題の集まりを2、3日中に開きます」

「パスタと素晴らしいソースの代わりにおいしいチーズの組み合わせでした。おいしそう！」

オバマが65,000ドル分のホットドッグとピザを注文して、真夜中にシカゴからホワイトハウスまでパーティーのために飛行機で持って来させたことを示すやり取りもあった。すると、それに対してヒラリー・クリントンがオバマに、
「次回はもっと注意するように」
「ホットドッグは来てもいいけど、公にすると私たちは破滅する」
「この活動は事前に決められた場所に限った方が賢明だ」
とのメールを送っている。
このメールの宛先には、バラック・オバマ、ナンシー・ペロシなどの名前が載っている。

メールに使われている用語は隠語で、

ピザ＝子ども
チーズ＝女の子
パスタ＝男の子
ホットドッグ＝男の子
アイスクリーム＝男娼
ウォールナッツ＝黒い肌
ソース＝乱行
地図＝精液

を意味する。

このピザ屋では、裸で虐待されている子どもや、拷問されてレイプされて死んだ子どもの絵を壁に飾っている。

このピザ屋のセキュリティーカメラの映像には、地下の卓球台の上に子どもたちが寝ている姿が映っていた。
ピザ屋のウェブサイトには高度セキュリティーのバックドアがあ

り、ピザの写真を高額で購入できるようになっている。そこには以下のようなことが書かれている。
「今月は皆さんがお楽しみになるために5つのピザをご用意しています。」
「先月のセッションの生き残りのピザも4つあります。それらはすべて非常に安価です。健康ではなく、長くは生きないと思います。」
「だから必要事項ですが、あなたがセッションを終えた後は、ピザを食べてください。」
「今月の特別品は、激しい拷問が30%引きです。」
「下の画像は、それぞれ1,000ドルです。」

メールのやりとりに「殺しの部屋」とか「殺人」とか言う言葉が出てくる。「終わったら水で洗う」とも書いてある。

このジェームズ・アレファンティスは開業から6年後の2012年にはワシントンDCで最も力がある50人のうちの1人として選ばれている。なぜ彼はそんなに力を持っているのか？
調べてみると、彼はロスチャイルドの血統に属することが判明した。
彼はジョンとトニーのポデスタ兄弟と深い関係がある。ジョン・ポデスタはクリントン大統領時代の大統領主席補佐官で、オバマ時代の大統領顧問で、2016年の大統領選挙のときヒラリー・クリントンの選挙対策責任者だった。
トニー・ポデスタは政治ロビー活動家で芸術を支援している。彼が集めている芸術作品は、マージー・ヒーリンクス、パトリシア・ピチニーニ、ビルジャナ・ジョージェヴィック、ルイーズ・ブルジョア、キム・ノーブルなど黒魔術的な悪趣味で陰惨なものばかりだ。そしてこれらの絵が例のピザ屋の壁に飾ってあるのだ。（ニコニコ動画「裏政府カバールの崩壊 part5」より）

**③ハリウッド**

ハリウッドの有名プロデューサー、ハーヴェイ・ワインスタインは、長年にわたって多数の女優や従業員らに対して性的虐待を行なってきた——。グウィネス・パルトロー、アシュレイ・ジャッドらハリウッド・セレブも声を上げたことで世界に衝撃を与え、#MeToo運動のきっかけを作ったこの事件はニュースにもなっているのでご存じの方もいると思うが、実態はそんな生ぬるいものではない。

何人かの大物俳優が証言している中でも特に詳細に語っている、俳優で映画監督のメル・ギブソンの言葉を紹介する。

「ハリウッドは子どもの血を吸う寄生虫のたまり場だ。

**ハリウッドは組織化された幼児性愛組織**だ。彼らは子どもの血を吸っている。ハリウッドの全ての映画スタジオは無垢な子どもの血のお金で売り買いされている。

ハリウッドのスタジオは無垢な子どもたちの血が滴っている。赤ちゃんの血はハリウッドでは人気があり、それが通貨のように扱われている。

ハリウッドのエリートたちは全人類の敵だ。

子どもの神聖さを尊重するということも含め、神が人に命じる掟を全て破っている。

ハリウッドでは皆が知っている秘密。彼らには自分の宗教と霊的な教えがあり、独自の社会的・独特な枠組みがある。自分たちの経典があり、彼らは気味悪い奴らだ。アメリカが国として信じていることから彼らほどかけ離れた人たちはいない。

彼らは子どもの血を抜き取り、肉を食べる。子どもが死ぬ前に肉体的、精神的に苦痛を与えると、より多くの生命力を彼らから引き出せると信じている。この人たちは人の痛み、トラウマ、ストレス、虐待、苦しみをむさぼっている。

彼らは子どもを利用して虐待している。毎年、大人数の子どもが利用される。彼らの信仰は、まあ信仰と呼ぶのなら、子どものエネルギーを取り出すことである。彼らはこれをむさぼり、それによって活力を満たしている。

赤ちゃんには最も高い値がつき、彼らにとっての高級キャビア、コカイン、ダイアモンド、ステーキのようなものだ。それにどれくらいのお金が扱われているのか、想像もつかない。

別に新しいことではない。調査すると形而上学や錬金術に関する現象などでも、全ての歴史上の暗黒時代の背後に存在していたことである。

暗黒の、複数次元が関わるオカルト術の実践で、過去数百年間、秘密結社で行われていたことだ。

社会的にプログラミングしたり、マインドコントロールするために行われて来たことで、我々の時代のアメリカで、ハリウッドによって最高潮に達しただけだ。」

(ニコニコ動画「裏政府カバールの崩壊 part4」より)

**④バチカン / カトリック教会**

2014 年に以下の報道がされた。

「**カトリック聖職者による児童への性的虐待問題で、ローマ教皇庁（バチカン）は、2004 年以来、約 3,400 件の事件を認定し、聖職者 848 人の資格を剥奪した**ことを明らかにした」

2021 年 10 月には、キリスト教カトリック教会の関係者による虐待行為を調査する独立委員会のトップが、**1950 年以降、フランス・カトリック教会内で数千人の小児性愛者が活動していた**と明らかにした。

独立調査委員会を率いるジャンマルク・ソヴェ氏は、フランス・カトリック教会の計 11 万 5000 人の司祭や聖職者のうち 2900 ～ 3200 人が児童を虐待していた証拠を、同委員会として入手したと、仏メディアに語った。

「これは最も少なく見積もった人数だ」と、ソヴェ氏は付け加えた。

2018 年 7 月 6 日には、AFP 通信がマザー・テレサに関するニュースを流している。

「マザー・テレサの修道会で赤ちゃんの売買か、修道女と職員を逮

捕 インド」

インド東部ジャルカンド（Jharkhand）州で５日、未婚の母たちが産んだ赤ちゃんの人身売買容疑で、マザー・テレサが創設した女子修道会「神の愛の宣教者会」の修道女と職員の女の計２人が逮捕された。

このようにバチカンをはじめとするカトリック教会ではかなりの昔から多数の聖職者によって小児性愛が行われており、つまり**キリスト教自体が小児性愛の巣窟**であることを示している。

**著者の判定：**複数のニュースから小児性愛は100％真実で、ハリウッドでの証言、ピザゲート事件のメールから、悪魔崇拝の生贄儀式も99％の確率で行われていると見るのが妥当なところだろう。

## ■陰謀論14「昆虫食は支配者層による何らかの陰謀である」

昆虫食、その中でも特にコオロギがスポットライトを浴びている。なぜ今コオロギなのか？

どのような流れで昆虫食が表に出てきたのかを見てみる。

国際政治経済学者の浜田和幸氏によれば、昆虫食は地球温暖化防止の観点から、「肉食をやめ、環境負荷の少ない昆虫食に移行すべき」との理屈で出てきた話のようだ。

突然、表舞台に現れたコオロギ食。
果たして市民権を得られるのだろうか

最初に言い出したのはまたしてもビル・ゲイツで、大豆などを加工した人口肉や家畜と比べCO2排出量の少ない昆虫食を普及させることで、世界の環境問題や食料問題を解決しようと訴えている。しかし「人類のために昆虫食を！」と訴えるビル・ゲイツは、代替肉ビジネスにちゃっかり先行投資しているのだ。

ビル・ゲイツの提案がダボス会議＝世界経済フォーラムの方針ともなり、すでに日本政府にもとっくに下りて来ていて、2020年2月に発表された内閣府の「ムーンショット目標」の目標5が「2050年までに、未利用の生物機能等のフル活用により、地球規模でムリ・ムダのない持続的な食料供給産業を創出」となっているのだ。具体的には「2050年までに、微生物や昆虫等の生物機能をフル活用し、完全資源循環型の食料生産システムを開発する」とある。

その理由として挙げられているものは以下の通り。

- 世界的な人口増加により、2050年には穀物需要量が現行の1.7倍にも達すると予想され、食料需給のひっ迫が必至の状況にある。
- 温暖化に伴う異常気象の頻発や、肥料や灌漑用地下水の枯渇等も進行する。
- 食料の元となる有機物は、農作物、食品、排出物、土壌物質等として循環しているが、その循環の破綻が、気候変動、食料供給の持続性への障害等、地球環境に悪影響を及ぼす。
- 有限な鉱物資源を原料とした化学肥料や農薬等の多投は、自然循環に悪影響を及ぼす。
- 今後は、本来の自然や生物機能を最大限に活用した、ムリ・ムダのない社会経済活動を生み出すことが益々重要になる。
- 昆虫、土壌微生物、人体内微生物等にあっては、未利用な機能が多数存在しているものと推測され、これらの機能を活用した新たな社会経済活動のシステム化を図ることが必要である。

つまり**昆虫食推進の目的（あくまで名目上の）は、これから来ることが予想される食料不足と地球温暖化の防止**である。来るかどうか分からないものに備えて、誰も進んで食べたいとは思わないどころか、絶対に食べたくないと思うであろう昆虫を我々は食べさせられるのだ。

このムーンショット目標に基づき、昆虫食の開発に取り組む企業に対して助成金が出ている。それに釣られてか、2023年1月にはなぜか全く分野の異なるNTT東日本までが食用コオロギの養殖を支援する事業に参入している。

**「食糧不足の到来が心配される」と言う一方で、「温暖化の要因になるメタンガスの排出を減らすために家畜の数を半減させよ」との指示**が2022年6月にオランダ政府から出され、農業従事者の大規模なデモが起きている。

日本では、ロシアへの経済制裁に端を発する飼料の値上がりで廃業する酪農家が続出しているにも関わらず、国は酪農家への支援は一切行わずに、昆虫食事業者への補助金を出すというバランスの悪さだ。また、牛を1頭殺せば15万円の補助金を出すなど、日本政府は日本から酪農家を駆逐したいとしか思えない狂気の政策を行なっているのだ。

食料不足を起こさないためなら真っ先に既存の酪農事業者を保護すべきだろう。また、鳥インフルエンザへの感染が確認されたとの理由で国内の鶏が大量に殺処分されており、鶏卵の不足が起き始めている。この「鳥インフルエンザへの感染」も悪名高いPCR検査による判定のはずだ。繰り返すが、PCR検査陽性は感染を意味しない。仮に鳥インフルエンザに感染して風邪を引いても放っておけば治るのになぜ殺す必要があるのだろう？

このようにして**支配者側は、自ら食糧不足を作り出す一方で、食糧危機に備えて**、国民が食べてくれるかさえはっきりしていない**昆虫食なるものを強引に推し進めている**のだ。

コオロギに関しては、その安全性に疑問を感じざるを得ない。
・漢方ではコオロギには微毒があり、不妊薬であり、特に妊婦は食べてはいけないものとされている。

・養殖コオロギはゲノム編集をされているらしい。

これとは別に、2018年9月にEFSA（欧州食品安全期間）が公表した「食品としてのコオロギのリスクプロファイル」という文書があり、そこに書かれている懸念事項が以下のものだ。

・総計して好気性細菌数が高い。
・加熱処理後も萌芽形成菌の生存が確認される。
・昆虫及び昆虫由来製品のアレルギー源性の問題がある。
・重金属類が生物濃縮される問題がある。

しかし、食品安全委員会の松永氏によれば、これらは一般の食品についてのリスクとほぼ同じものであり、コオロギに限ったものではないようだ。

**著者の判定：**これは状況証拠から判断するしかない。詐欺確定の地球温暖化対策を理由の1つにして推進している時点で、支配者による何らかの意図を持った策略であると解釈できる。食糧危機の到来に備えてと言いつつ、自ら食糧危機を作り出していることと合わせて、昆虫食は「対策」ではなく、支配者が「持って行きたい世界」であることは間違いないだろう。

「なぜ昆虫なのか？」との疑問への答えは、現時点では分からない。恐ろしい勢いでアメリカの農地を買い占めているビル・ゲイツの「食の支配」の一環として、なのかもしれない。「遺伝子操作した種子」「遺伝子操作した昆虫」「遺伝子操作した家畜」「遺伝子操作した魚」で世界中の食を自分の手中に収めたい欲望の表れなのだろうか？

## ■陰謀論15 「地球は平面である（フラットアース説）」

一般の人は恐らく聞いたことがないと思うが、コロナの真相を追及する人々の中の一部がこのフラットアース説を信じているのだ。なぜか科学技術の発達した現代において、中世の「地球平面説」が突如復活して、「支配者は地球が平面であることを我々から隠している！」と主張している。

彼らが主張する、地球の真の姿。いや、地球ではなく地円盤か？

具体的に言うと、地球は北極点を中心に、外周を約45m の高い氷の壁に覆われた円盤型をしており、大気の部分はドーム状の天蓋で覆われている、とされているらしい。外周にある氷の壁の正体が南極大陸だ。

個人的には、なぜ中心が南極点でも他の半端な緯度、経度の地点でもなく北極点だと分かったのかを知りたいところだ。

99% 以上の人が「馬鹿馬鹿しい！」の一言で終わらせると思うが、フラットアース説を信じるいわゆる「フラットアーサー」は真剣だ。地球が平面の証拠であると彼らが主張する事例を持ち出して、得意気に計算して見せる。フラットアースの証拠として彼らが提示できるものは恐らく多くない。せいぜい 10 個程度ではないだろうか？

日本のフラットアーサーが出して来る代表的な説の 1 つが以下のものだ。

「三重県に二見興玉神社という観光名所がありますが、この神社から富士山は、201km 先 の距離にあります。

富士山の標高は 3,776m。観察者の高度を 3.5 m と仮定し、曲率で計算しますと、6.67km 先は水平線で、海抜 2,963m までは水平線の下に隠れて見えなくなるはずです。

従って、富士山は、1/4 以下である、上部 22％しか観測できないはずですが、神社から望遠レンズを使って見ますと、なんと、22％どころか、富士山の全容が映っているのです！」
( https://aitree.net/flat-earth/)

**地球が球体ではないことを証明する無数にあるうちの一つの証拠**

**地球の半径は 6,371km であるとされています。地球の「曲率」というのがあって、例えば、地上 1m からまっすぐ前を見ると 3.6km 先に地平線が見えるということなので、その更に先は段々足元が地平線に隠れて見えなくなり、倍の距離 7.2km 先の高さ 1m のものは、全く見えないということになります。**

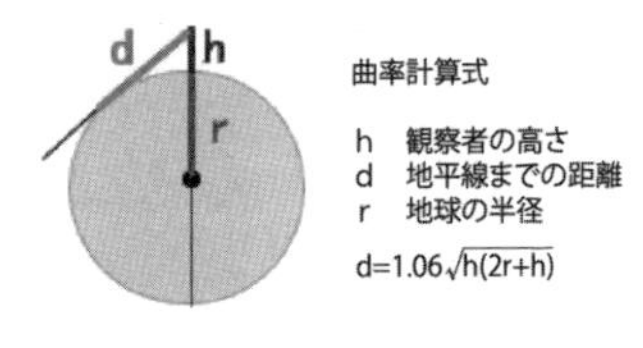


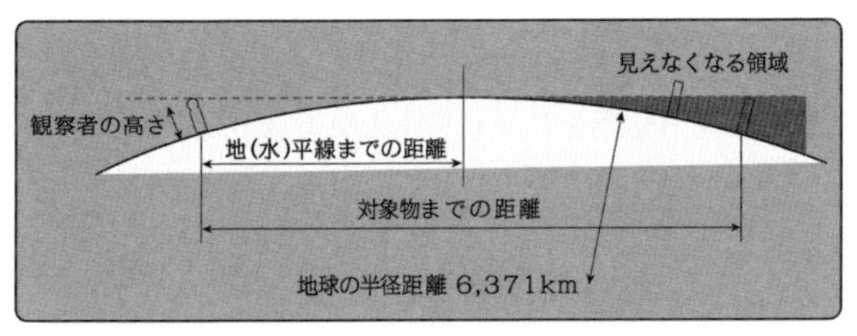


「ヨベルの角笛」より（https://yoberu-t.com/FEpdf/Mtfuji.pdf）

この事例に関しては、空気の屈折率や地形の影響があるので、かなり厳密な検証をしてみないと何とも言えないと思っているが、検証する気は全くない。なぜなら、**地球が球体と思えない証拠を基に「地球が平面だ」と主張する前に、地球が球体であることを示す数限りない証拠を全部否定すべき**だからだ。そうでなければ、地球が平面であることを証明したとは言えないからである。

地球が球体である証拠はざっと考えてもこれだけある。

・人工衛星や探査機から撮影した地球の写真
・時差がある
・季節により太陽の角度が異なる。しかも緯度が違う地点ではそれぞれの地点での太陽の角度が異なる

・白夜、極夜がある
・コリオリの力（地球の自転速度が緯度によって異なるために、北半球では右向き、南半球では左向きに働く見かけの力）
・重力の存在
・人工衛星の存在
・月蝕、日食
・他の天体が全て球体
・平面の天体ができる物理法則が存在しない
・物の重さが緯度によって異なる

地球が丸く写った写真の数々の存在だけでフラットアース説は消滅するのだが、彼らは「それはCGによるものだ」と主張する。いやいや、アポロの時代にCGはないのだが。

フラットアーサーには2種類いる。1つはフラットアースを自ら唱えている人間で、例を挙げると、フラットアースに関する本を出しているレックス・スミス氏、中村浩三氏と、ユーチューバーのエンドゥ一日一食氏だ。彼らは何でも信じやすい大衆を騙す役割を担っていると思われる。もう1つは彼らに騙されている人々である。

Rex Taiyo Smith
太陽が大地の上を約24時間かけて一周しているだけですよ。

イメージとしては時計のように以下のようにいわゆるタイムゾーン(昼と夜のタイミング)が決まります。至ってシンプルです。

逆に球体説の根拠はなんでしょうか？

宮庄宏明
Rex Taiyo Smith さん
時差のまともな説明をして下さい。

40週間　いいね！　返信

Rex Taiyo Smith
太陽が遠ざかり遠近法により視界から消えているだけですよ…消失点を超えると見えなくなるだけです。

40週間　いいね！　返信　1

Rex Taiyo Smith
まともな説明していますよ…。太陽が上を通るから明るい、遠ざかると暗くなる。それだけです。

フラットアーサーとの不毛なやり取り

レックス・スミス氏とフェイスブック上でやりとりをしたところ、私からの「時差の起きるメカニズムを説明せよ」との質問に対して、私の納得できる回答は残念ながらもらえなかった。それどころか本人自身がその説明に納得しているとは思えなかったのだ。それほど稚拙な、屁理屈とさえ言えないレベルの酷い回答だった。以下がそのときのやりとりである。

ちなみにレックス・スミス氏とはコロナのデモで会ったことがあり、英国出身で日本在住、しかも日本語ペラペラという非常に怪しい経歴の持ち主だ。スパイである可能性もあると思っている。

レックス・スミス氏はコロナのデモにも参加しているということは、コロナの真相を追及する人々の間にフラットアース説を浸透させる目的を持っているものと推測される。最終的な目的は、「コロナの政府見解に異議を唱える人間は、フラットアース説などという頭のおかしいとしか思えない説を簡単に信じてしまうような論理的思考力の乏しい、騙されやすい人間だ」と印象付けることであろう。フラットアース説を信じてしまう人が「論理的思考力に乏しくて騙されやすい人だ」というところは同意する。敵の戦略にまんまとはまって、こちらも迷惑している。

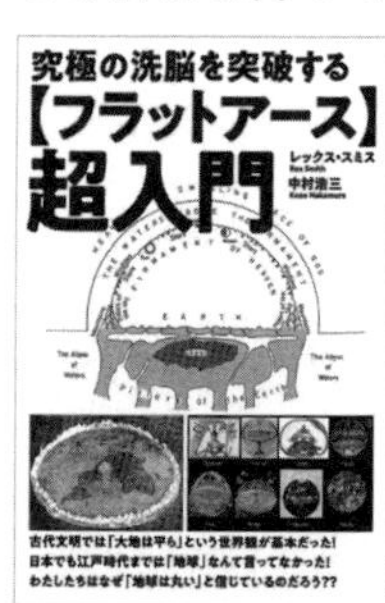

レックス・スミス氏の著作
（中村浩三氏との共著）

**著者の判定：**フラットアース説は検討の余地もないほどのレベルの低いデマだ。しかも、支配者側が民間人発に見せ掛けてばら撒いてきた「陰謀論」（と言えるレベルにも達していないが）という非常に珍しいケースだ。

# 【第6章】 コロナ離婚した家庭の実際は？

ブラックジャックによろしく／佐藤秀峰　※本書内容と同作品、佐藤氏は無関係です。

一旦ここで第1章の話に戻り、「コロナ離婚」した私の夫婦関係、家族関係が実際はどのようなものだったかを説明しておく。

ここからは私の元家族に関するプライベートを晒すことになり、元家族に対して若干申し訳ない気持ちもあり、書くべきではないとの批判もあるかもしれないが、元妻が受けたマスコミ取材で私に関して事実とは異なることを多々書かれているので、読者の方に間違った認識を改めて頂く意味でも書かざるを得ないことをご理解頂きたい。直接伝えることの難しい元妻と子どもたちにはこの場を借りて謝罪する。

## 元妻との出会い

元妻とは結婚相談所で知り合った。今で言うところのO-netだ。当時はOMMGと言った。

化粧をしない自然体のところが気に入って交際を申し込んだ。

何度も会ってたくさんの話をする中で価値観が合うと感じたし、34年間生きて来て初めて一緒に住んでもいいと思える相手だったので、これを逃すと恐らくチャンスは二度とないと思った。最初に会ってから2週間経ったところで私は待ち切れずに「結婚しよう！」と提案した。まだ知り合って間もなく、毎日、電話で何時間も話していたとは言え、彼女の全てを分かっていたわけではないので、「仮契約だよ」と付け加えた。2年間の会員期間を一度延長した2回目の会員期間の最後に紹介された相手でもあったので必然性を強く感じていたことも後押しになった。「運命の相手だ」と思い込みたい自分もいたのかもしれない。昔から子どもが大好きだったので、親になって自分の子どもを持ちたい気持ちも強かった。

元妻は即答で了承してくれた。

## 結婚～出産

新居は当時1人暮らししていた東京都日野市の、2人で住むのにふさわしい、高台の小綺麗なアパートに決めて、結婚前から同居を始めた。

同棲時代の楽しかった頃

私は女性の権利を尊重したいと以前から考えていたので、営業の仕事をしていた元妻の名字が変わると仕事の上で不利益になることを考え、夫婦別姓を望んでいた。当時は国会で夫婦別姓の議論がされていた時期だったので、結婚までに夫婦別姓が認められるようになることを期待していたが、議論は持ち越しになった。当時、私が第2の母親のように思って慕っていた、私の所属していたアマチュアオーケストラの代表の女性から「本当は入籍もしない方がいいのよ」と言われた言葉に従い、夫婦別姓の法律ができるまで入籍しないことを元妻と2人で決めた。私の両親と姉には激しく反対されたが貫き通した。

結婚式は初めて会ってから約半年後の1998年2月14日に実家のある仙台で、お互いの親戚だけを招き、自分たちの望む形でやりたい思いから、新郎新婦自らが司会をするという、今から思えば無謀な形で行った。

新婚旅行は、映画「サルバドル」の影響でエルサルバドルに行きたかった私と、遺跡好きの元妻の意見をすり合わせ、エルサルバドルの隣のグアテマラに決めた。グアテマラでは、代表的なマヤ遺跡のひとつであるティカルの他に古都アンティグア、チチカステナンゴ、アティトラン湖などを回った。2人とも時間差でお腹を壊して、何日か動けない日もあったが、それでもひたすら幸福感に満たされた新婚旅行だった。

2人だけの城を築き、結婚して1年ほどは、顔を合わせれば常にお互いに笑顔になる幸せな関係を続けていた。

そんなある日、仕事から帰って来ると元妻が布団に入って深刻な顔をしている。どうしたか尋ねると、一言「妊娠した」と言った。

元妻はまだ2人だけの生活をしたいと思っていたのか、仕事に全力投球をしたいと思っていたのかは分からないが、かなりのショックを受けていたようだった。

確かに2人ともすぐに子どもを作ろうとしていたわけではなかったが、私は元々子どもが欲しくて結婚したようなものだったので、妊娠は歓迎すべきことではあったが、元妻の深刻そうな顔を見るとそのような気分にはなれなかった。

この日を境に元妻は妻から母親に変わったように思う。まるで別の人間になったかのように態度と表情が変わった。笑顔が極端に少なくなった。

妊娠から間もなく、私の父親が脳梗塞で倒れたと連絡が入った。私がすぐにでも実家に帰ろうとしたところ、ちょうど元妻は腹痛を訴え、「お腹を痛がっている私を置いて行くの？ 子宮外妊娠だったらどうするの？」と強い口調で責められた。この時に初めて元妻の性格に異常さを感じた。私の頭の中で警報が鳴った。「これはおかしいぞ」と。脳梗塞の親と腹痛の妻のどちらを取るかと言ったら考えるまでもないではないか。とは言え、確かに子宮外妊娠だったら大変なことなので、やむを得ず車で産婦人科に連れて行った。結果は何のことはない、便秘だった。

入院した父親は一命は取り留めたものの、半身に麻痺が残り、目がよく見えなくなり、味覚も失っていた。テレビと読書が大好きだった父親は、生活の中の楽しみの多くを奪われすっかり元気をなくしていった。

出産が近づくと、元妻は母親に世話をしてもらうために、アパートから車で30分ほどの距離にある実家に住むと言い出した。それも一時的にではなく引っ越す、との意味だ。

私は全く気が乗らなかった。せっかく築いた2人の城をわずか1年ほどで放棄することになるのと、元妻の母親が私の苦手なタイプであることが気掛かりだったからだ。最初に元妻の実家に挨拶に行った際に、とても穏やかで人の良さそうな父親とは対照的に、愛想が悪く、自分のことばかり話したがり相手の気持ちを読めないタイプの人間だと分かっていた。このときは「別に一緒に住むわけではないから」とあまり気に掛けなかったが、たったの1年弱で、想定さえしていなかった、一緒に住みたくない人物との同居という状況に置かれることになったのだった。

妊娠直後に脳梗塞で倒れ、リハビリをしていた父親だったが、1999年12月15日に息子が生まれた3日後に、今度は家の階段から転落して頭を打ち、脳内出血で危篤になった。私はまたしても元妻の大事な時期にその元を離れなければならなくなった。それはまるで我々の先行きを暗示しているかのようだった。

父親は間もなく息を引き取った。69歳だった。妊娠直後に倒れたことと言い、まるで息子は父親の生まれ変わりなのではないかと思うようなタイミングだった。

## やはり避けるべきだった義理の両親との同居生活

子どもが生まれ、アパートを引き払い、元妻の実家の2階に住み始めると、さっそくトラブルが発生し始めた。義母が私のやることにケチを付け始めたのだ。最初の頃は元妻は私を庇って援護射撃をしてくれていたが、何年かするうちに、義母と一緒になって私を攻撃するようになった。

元妻とは子どもの育て方で意見の対立することが多く、夫婦仲はどんどん悪くなって行った。

はっきりと確認は取れていないが、息子が義母から聞いた話によると、元妻は家庭環境が良くなかったらしく、親に褒められて育てられなかったために自己肯定感が低いようだった。

親に褒められず、自己肯定感の育たなかった元妻は、恐らく私に会って、自分を丸ごと肯定してくれる私の存在をとても嬉しく思ったのだと思う。私といる時はいつも楽しそうにしてくれていた。そして私に尽くしてくれていた。

しかし義母と一緒に暮らすようになって、危惧していた通り、元妻が義母と一緒に住むことの悪影響を強く感じるようになって行った。元妻は義母に対しては恨みがあるかのように、「そこまで言わなくても」と思うほど非常に攻撃的な態度を取る。元妻は、義母の悪いところをそっくりそのまま受け継いでいるように私には感じられた。義母が近くにいることによって元妻の精神が乱されるのを私は手に取るように感じ取れたので、元妻は義母と一緒に暮らすべきではないと強く思っていた。

## 子どもとの関係

私は昔から子ども好きだったので、子どもとの関係は終始良好だったと思う。息子は明るく元気でとても面白い子で、家でも保育園でも、常に周りの人間を笑顔にしてくれるムードメーカー的存在だった。独特の感性を持っていて、常に自分の価値観で行動し、周りに合わせることはなかったので、面白エピソードには事欠かず、私が書き留めていた面白言動集を本にしたほどだ。

元妻は土日に仕事をすることが多かったので、そんな日には私が息子の面倒を見た。一緒に出かけるのは楽しかった。泣かれても全く苦にはならなかった。一緒に色々なことをして遊んだ。男の子と遊ぶのはお手の物だった。

ただ息子は1歳くらいからアトピーが酷くなり、元妻は必死に原因を調べて、考えられるありとあらゆる対策を行なってくれた。しかし一向に良くならず、かなり追い詰められていたのだとは思うが、夜中に息子が寝ている間に腕を掻くと、元妻は怒鳴り声を上げながら息子の腕を叩くことを繰り返していた。それを見て私は息子が可哀想だと抗議したが、私がほとんどその件では貢献できていなかったことを元妻に指摘され、結局止めることはできなかった。

元妻の対策がほとんど成果を出さないのを見て、私も自分なりに調べていくうちに、「もしかしてワクチン？」と思い当たった。ワクチンについては全く何も知らなかったので調べてみると、長い年月を掛けて刷り込まれていた嘘の数々が明らかになった。ワクチンが感染症の流行を抑えた証拠もなければ、インフルエンザワクチンには発症予防効果がないことが前橋市での大規模調査で分かって小学校での集団接種は中止になっていたし、それどころかワクチンにより様々な病気を引き起こしていることを知ったのだ。その中には発達障害、アレルギーとともにアトピーがあった。ここから私はワクチンに否定的な姿勢を取るようになった。

ワクチンが原因と目星がついたところで私が試した対策はホメオパシーだった。ホメオパシーは、今から200年前にドイツの医師ハーネマンが確立させた自己治癒力を使う同種療法だ。同種療法の起源は古代ギリシャのヒポクラテスまでさかのぼる。近代西洋医学のように、症状を抑え込む療法とは正反対の、「症状には同じような症状を出すものを天文学的に希釈振盪して与える」という「同種の法則」に基づいた療法だ。3か月ほど試したと思うが、効果が実感できずに途中でやめている。

息子が生まれて4年が過ぎた頃になって元妻は「そろそろ2人目を作ろうかな」と言い出した。それまで散々夜の関係を拒否しておいて勝手なものだと思った。関係は完全に冷め切っていた。それでも何度かのチャレンジで元妻は身篭り、息子とは6学年違いで、私が待ち望んでいた娘が生まれた。

娘は性格が私に似ていてマイペースで、息子とはまた違った個性の持ち主だった。息子以上に周りには合わせない性格だった。

女の子というだけで可愛かったし、娘も私のことを大好きだったので可愛がって写真もたくさん撮った。

息子とは6歳違いだったこともあり、小学校入学後は、学校から帰って来た後の遊び相手は私だった。私が仕事から帰ってくるなり、「パパ、遊ぼう！」と言ってくれて、毎日のようにゲームをして遊んだ。疲れていて本心では「ひとりで遊んで欲しい」と思っていたが、中学になった途端に相手をしてくれなくなってみると、実は幸せな時間だったことを後で痛感することとなった。

## 理解し難かった元妻の言動

自己肯定感の低い元妻は、私に限らず誰に対してでも議論で負けることを極端に嫌った。

家庭内で何らかの問題が生じたとき、私は事態をよい方向に持って行くための提案をするのだが、ほとんどの場合、元妻は全く聞く耳を持たずに門前払いをする。

例えば、元妻は仕事をした上で育児と家事をしていて非常に忙しかったので、私は元妻のやっている仕事を一覧表にまとめ、その中で私が担当できそうなものを抽出して、「これを僕がやれば君の仕事を減らすことができるよ」と家事の分担を提案したのだが、何が気に入らなかったかは分からないが元妻は怒り、全面拒否された。

また、元妻の帰りが遅く、夕飯の時間が20時から20時半、21時とどんどん遅くなって行ったため、帰りの早い私が作れば夕飯の時間を早くできると考え、私は料理教室に通い始めてある程度の時間が経過したところで、まずは週に2回、私が夕飯を作ることを提案した。仕事が減れば普通は喜ぶものだが、実際の反応は全く逆で、相変わらずの拒否だった。

今にして思えば、恐らく、家事と育児で頑張っていることを自分の存在価値のひとつだと考えていて、そこを奪われることを嫌ってのことだったのだろうとは思うが、当時の私には中々理解し難い反応だった。

食事に関してはしばらく経ってから、気が変わったのか許可してくれたが、常にこのような反応をされるので、家庭の中は事態が悪化することはあっても改善することはなく、家族全員にとってどんどん住みにくい家庭になって行った。

元妻の私や子どもたちへの言動では理屈に合わない腹立たしいものが非常に多かったので、私は携帯に元妻の問題点を山のように書き記した。この頃はまだ、元妻の性格の問題だと考え、元妻を責める気持ちしかなかった。

子どもたちのためにも夫婦喧嘩をなくしたいと思っていた私は、無理だとは思いつつも、妻にカウンセリングを受けさせる必要性を感じていた。しかし私から提案しても絶対に受け入れないことは確実なので、まずは私自身がカウンセリングを受けることで関係改善のためのヒントをもらえたり、私が変わることで事態が改善することを期待して、３人のカウンセラーのカウンセリングを合計数回受けた。

私に対するアドバイスをもらったこともあったが、最終的な結論としては、元妻本人がカウンセリングを受けない限り事態の改善は難しいとのことで、成果が出るには至らなかった。

私は元妻に対しては、価値観が合うことを最大の理由に結婚し、フィーリングが合うと感じてはいたものの、どちらかというと「頭」で決めた結婚だったこともあって、私に対する笑顔の少なくなった妻への愛情を維持できていたのは最初の２、３年程度だったと思う。子どもが生まれて間もなく、私と一緒に風呂に入ることも拒否されるようになり、元妻から拒絶されている感覚を持ったことも関係していた。夜の関係も基本的に拒否されていて、スキンシップなしで愛情を維持するのは私には難しかった。その後は２人の子どもの共同養育者でしかなくなり、お互いに愛情のない関係が続いていた。

コロナが始まった時点で、すでに離婚は時間の問題だった。

娘からもらったたくさんの手紙は今も宝物として取っておいてある

別れる２年前、実家で母親と一緒に撮った最後の家族写真。
これ以降、元妻は私の実家に行こうとしなくなった。

【第7章】

# 「陰謀論者」とはどのような人間なのか？

ブラックジャックによろしく／佐藤秀峰 ※本書内容と同作品、佐藤氏は無関係です。

私はかなり前から「真実」と「真理」の探究を続けていて、その中にはいわゆる「陰謀論」と呼ばれる領域も含まれている。ときには会社や保育園の親の飲み会の席で「陰謀論」領域の研究の成果を披露することもあったが、反応は極めて鈍く、総じて「また馬鹿なことを言ってるよ」と思っているであろうことが雰囲気から感じられた。この手の話をできるのは弟以外にはほとんどおらず、「陰謀論」は日本においては市民権を得られていないのを感じていた。

私がどのようにしていわゆる「陰謀論」の世界に興味を持つようになったか説明するには、子ども時代から話を始める必要がある。それは、父から大きな影響を受けたからである。

## 子ども時代

私の父は私立高校の英語教師だった。歴史の教員免許も持っていた歴史好きの人間だった。

そして、UFO、宇宙人、霊魂、４次元の世界、ムーやアトランティスなどの超古代文明に非常な興味を持っていた。部屋には歴史関係の本とともにこれらの本がたくさん並んでいて、父からはよくこれらの本を見せられながら話を聞かされていた。

父は、授業のなかで時々これらの話を生徒にしていたらしい。進学校どころか、平均以下のレベルの学校だったので、ほとんどの生徒は喜んで聞いていたはずだが、中には真面目な生徒がいて、「先生、ちゃんと授業をやってください！」とつまらないことを言うらしい。

そんな、今から考えれば少し変わった父親の元で育った私を含む兄弟３人（姉、弟）は３人とも、科学で解明されておらず存在を認められてもいないこれらの現象や存在があることを確信していた。残されている証拠の数々から、これらが存在しないなどということはあり得ないと分かっていた。小学校時代に「UFOは存在しない」と言い張っていた友人のことを、「きっと固定観念ガチガチのクソ真面目な父親の影響だろうな。愚かな奴だ」と馬鹿にしていた。

## 新興宗教の経験

私が中学３年生のときには２歳年上の姉がなぜか新興宗教（崇教真光）にはまり、「これから天変地異が来る。真光に入らないと助からない」と家族全員が脅され、両親と私と弟の４人が真光に入信させられることになった。入信するにはお金（確か１万円）を払って研修を受け、「おみたま」と呼ばれるペンダントを受け取って常に首から下げる必要があった。おみたまを身に付けると、手から浄化作用のある目に見えない光が出ると言う。この力を使って、体、物、魂を浄化するのが真光の中心的教えであり活動だ。

結局私は高校３年間と大学３年まで真光を続けた。カルト的な要素はほとんど感じられず、後のためになる知識や考え方を数多く教えられることになった点では私の人生において非常に大きな経験ではあった。

サッカリン、合成着色料などの食品添加物の危険性、怒りの感情は体に毒を生み出すから良くないこと、似たレベルの魂は同じレベルの魂を引き寄せるとする「相応の理」など、今でもそこで得た知識は私のベースになっているのかもしれない。

新興宗教は一度入ると抜けるのは難しいのが付き物だが、真光に関してはそのような強い引き留めはなく、大学３年生のときに、「手から光を出すのに、おみたまという物質を身に着ける必要があるのはおかしい！　光が出るならおみたまがなくても出せるはずだ！」と自分なりに考え、他人に見られたくないので隠すのに苦労していたおみたまを捨てるために脱会した。最近になって、同じように手から癒しのエネルギーを出す「レイキ」と呼ばれる施術があることを知り、私の読みが正しかったと知り嬉しく思った。

真光は私にとって教師のような存在であったと同時に、隠したい暗い過去でもあった。

## 読書による真実の探究

小学生の頃から「世界に戦争や飢餓があるのはなぜか？　それらのない世界にしたい」と考えていた私は、横溝正史の推理小説を読む親友の影響で、中学から森村誠一、高木彬光、松本清張などの推理小説を読み始めた。高校までは小松左京、眉村卓などのSFと併せて、フィクションを中心に読んでいたが、高校時代の担任の英語の先生に紹介された吉村昭の「高熱隧道」をきっかけに、大学に入る頃からはドキュメンタリーに軸足を移すようになった。やがて、父の影響もあり、科学で解明できていない世界、すなわち超古代文明、UFO・宇宙人、地球空洞説、霊の世界、フィラデルフィア実験、バミューダトライアングル、未確認生物（UMA）、フリーエネルギー、波動などに関する本が読書の中心となり、子どもの頃から持っていた疑問、戦争や飢餓の起きる原因への興味も忘れることはなかった。

## 米国による軍事独裁政権支援への疑問

社会人2年目の1986年に見たオリバー・ストーン監督の映画「サルバドル」は、中米のエルサルバドルにおいて、民主的に選ばれた政権を、米国CIAの支援によりクーデターを起こすことで転覆させ、軍事独裁政権に置き換える様子を描いたドキュメンタリー映画である。政府に逆らう人間は問答無用で捉えられ、拷問されて殺される。その不条理さに私は衝撃を受けた。

1987年に発売された元ポリスのスティングのアルバム「NOTHING LIKE THE SUN」には、チリの軍事独裁政権、ピノチェトのことを歌った曲が入っていて、なぜ米国政府は軍事独裁者を支援して国民の虐殺に手を貸し、戦争と貧困、悲しみを生み出すのかという疑問を、「サルバドル」と共に私に抱かせてくれた（その答えは「堤美果のショックドクトリン」（堤美果、幻冬舎、2023）で知ることになる）。私はここから米国の政治の裏側を調べるようになり、そしてこれが更に深い世界の裏側を調べる入口となったのであった。

## チェルノブイリ、エントロピーから
## エネルギーと環境問題へ

1986年に起きたチェルノブイリ原発事故は、世の中の一般常識とされているものの危うさを認識させてくれる機会になった。原子力発電は世間的には「安全性の高い技術」とされていたが、調べてみると実際には放射性廃棄物の処理技術が確立されていない見切り発車の技術であり、「トイレのないマンション」に例えられていた。世間の常識が必ずしも正しいとは限らないと教えてくれたこの経験は、今回のコロナ騒動における「ウイルスの存在」「ワクチン」など、当たり前だと思っているもの、思わされているものを疑う習慣を私に与えてくれた。

そして原発は一旦大事故が起きればその地域だけではなく、地球上の生命が全滅してもおかしくないほど危険なものであることも知った。

実家の仙台の近くには女川原発があり、放射性廃液が垂れ流されている近隣の住民の感情を理解するために女川原発の見える漁村に行ったこともあった。漁場を汚染された漁師たちの気持ちを考えていたたまれない気持ちになったのを覚えている。

1988年に「FOR BIGINNERS　エントロピー」（藤田祐幸・槌田敦著）を読み、「物事は外部からエネルギーや物質の流入のない閉鎖系においては乱雑さ（エントロピー）が増える方向に進む」とするエントロピー増大の法則（熱力学第2法則）があることを知った。

ふと、「人間を含む生命は生きている間は秩序（エントロピーの低い状態）を維持しているということは、外部から何らかのエネルギーの流入があるはずだ」と考えた。食べ物や飲み物、空気を体内に取り入れはするものの、それだけで体を維持して動かしているエネルギーが足りるとは到底思えなかったのだ。生命を維持しているエネルギーこそが宇宙エネルギーであり、フリーエネルギー※と同じものではないかと考えた。

※フリーエネルギー：宇宙空間に満ちるエネルギーで、うまく取り出せれば無限のエネルギー源となるため、世界中で研究されているが、エネルギーを支配する権力者に妨害され続けている

最近になって、世の中には何も食べずに生き続けている「不食」の人がいるらしいと聞いた。それが本当であれば、私の推論が正しいことの証明になる。

エントロピーに興味を持った私は、著者の２人が運営する「エントロピー学会」に入会し、勉強会などに参加するようになった。

慶應義塾大学の物理学の助教授でもあった藤田祐幸氏はチェルノブイリ原発事故後の汚染地帯に入り、現地調査を行なって、その報告をエントロピー学会で行ったりもしていた。

続けて読んだ「エントロピーの法則」「エントロピーの法則Ⅱ」（共にジェレミー・リフキン著、祥伝社）は、エントロピーの法則を切り口にさらに深くエネルギー問題に切り込んだ本で、「FOR BIGINNERS　エントロピー」と併せて、私にエネルギーと原発の問題に強い興味を持たせてくれた。

エントロピーの法則を知ったことで、化石燃料の大量消費は地球上のエントロピーを増大させ、熱と廃棄物で人類の住めない星になってしまうのではないかとの危機感を抱いたが、それは地球が閉鎖系であればの話で、私の取り越し苦労であった。実際にはそうならないのは、地上に溜まった熱を放射によって宇宙に排出できる”開放系”であるからだ。そうは言っても無駄に化石燃料を燃やしたり原発で放射性廃棄物を大量に作り出すことは地球のエントロピーを増大させ、望ましいことではない。

一方で、この後に始まることとなるリサイクルに関しては、一見良さそうに思えるが、例え物質をリサイクルできたとしても、その過程で廃棄物を単純に燃やすよりも多くのエネルギーを使ったのでは地球環境の健全さを示す指標であるエントロピーを増大させることになるので逆効果になることを武田邦彦教授（当時）の本「環境問題はなぜウソがまかり通るのか」（洋泉社）で知った。つまり、リサイクルの大義名分も“嘘”なのだ！

## ターニングポイント

とにかく世の中の仕組みを知りたいと思っていた私は、本屋に行っては当時はやっていた「ニューサイエンス」のコーナーに行き、難しそうだが面白そうな本を買い漁っていた。その中でも特に私に大きな影響を与えたのは「ターニング・ポイント」(フリッチョフ・カプラ著、工作舎）だった。「世の中は物質が全てで機械のような構造になっている。物質をどんどん細かく分解していき、それぞれの「部品」の役割を読み解けば、それらの「部品」を組み合わせた機械として物事の起きるメカニズムを解明できる」とする機械論的価値観の問題点を、科学、生物学、医学、心理学、経済学、エネルギー問題などの幅広い分野に渡って提起した、700ページを超える画期的な名著だった。私の知らない分野の話が多かったので、意味のわからない単語に苦労しながらも、会社の昼休みにコーヒーを飲みながら、世の中の常識的価値観を引っくり返すような内容に、目を開かれるような衝撃と知的満足感を感じながら読んでいたのを覚えている。

まさに私の知的探求のターニング・ポイントになった本だった。

## 人生の転機となった統一教会事件

こんなこともあった。

会社の寮の後輩で、性格が良くて可愛がっていたS君が、統一教会にハマって会社を辞める事件が起きた。S君は出家して家族との関係も絶っていた。

統一教会のことは、大学生時代に私と同じ大学の真光の先輩が統一教会に乗り換えて渡米した事件があったのでその存在は知っていたし、どのようなものなのか多少の興味もあった。「危ない」との噂もあったので、当然用心しながらではあったが、私は爽やか好青年のS君の救出を心に決めた。

S君が八王子の街で勧誘をしていると聞いたので、休みの日に街に行って勧誘しているS君を見つけて「話を聞かせろよ」と、統一教会の拠点のビルの一室に連れて行ってもらった。まずはどんな教義なのかを知る必要があると思い、勉強用のビデオを見せてもらった。後から振り返ってみると、この場所は「その教義が正しい」と思う人の強力なエネルギーが渦巻いているので、余程の強い意思を持っていないと洗脳されてしまいかねない非常に危険な場所であった。しかもビデオの内容が真光で聞いていた内容と近い部分が多かったため、「もしかしたら本物かも」と思ってしまったのだと思う。

そこから想定外にはまってしまい、「ワンデイ（日帰り）」、「スリーデイズ（2泊3日）」と呼ばれる研修にも参加し、危うく会社を辞めて出家する寸前まで行ってしまった。

会社に出した辞表は上司が「預かる」と言って受理はせず、実家に行って家族と話してくるように言われたため、実家の仙台に戻り、母親と姉の説得を受けた。説得の内容をまともに聞いていたわけではなかったが、姉からの説得を受けている最中に、「待てよ、教義の根幹にある『サタン（蛇）とイブの姦淫が人類の原罪になっている』という説明が嘘なら、すべての教義が崩れるではないか！　しかもそこは誰にも検証しようのないことだ。ということはここが罠だな！」と自ら気付き、寸前のところで統一教会を抜け出すことができた。

この経験は私にとっては痛い経験であったが、カルト宗教の仕組みと実態を身を持って体験することができる、又とない貴重な経験になった。

これ以降、私の宗教に対するスタンスは、「いいところを取り入れ、信じない、入らない」になった。よい教えがあれば活用すればいいが、盲目的に信じたり入信したりしてはいけない。**ほとんどの宗教は95%は素晴らしいことを言っていて、残りの5%に罠が仕掛けてある**からだ。95%が素晴らしいからと「全て真実だ」と思い込んでしまうと残りの5%の罠に引っ掛かり、金をむしり取られたり、家族を捨てて出家させられたり、他人を巻き込んでしまったりする。また、後になって、宗教は支配者が人々を支配する道具としても活用していることを知った。

世間知らずのために会社や家族に迷惑を掛けてしまった私は、人生経験を積む必要性を感じ、29 歳の時に、受かったら会社を辞める覚悟で青年海外協力隊を受験した。2 次試験で落ちたが、すぐさま、受かっていれば行くはずだったモロッコを目指して 1 人で初めての海外旅行に行った。

その直後にオーケストラに入り、若いオーケストラのコンサートマスターとして 7 年間に渡って数多くの演奏会を経験し、32 歳で入った劇団では人生で初めての役者を経験した後は裏方として様々な経験をし、たくさんの仲間との楽しい思い出を作った。

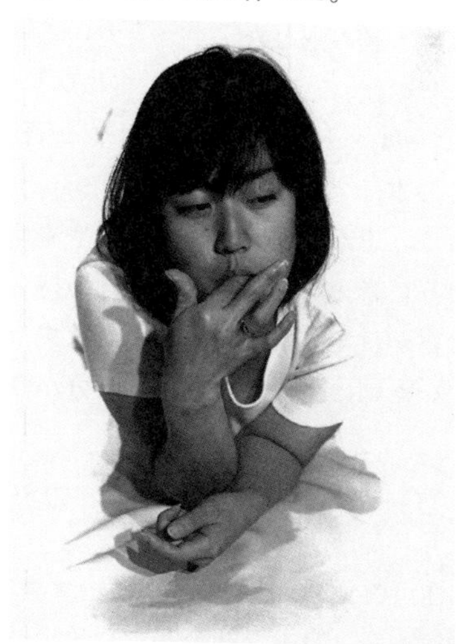

当時撮ったオーケストラ仲間のポートレート写真

また、この劇団の稽古場を即席のスタジオとして借りて、自前の照明機材を使って親しい女性のポートレート写真を何人も撮らせてもらったりと、結婚までの数年間に渡り、遅れてやってきた、最高に充実した青春時代を送ることになる。

それまでの「仕事だけをする」内向きな生活から、色々なことに積極的にチャレンジする外向きの生活に切り替えるきっかけになった、私の人生の中では価値のある出来事だった。

## バイブルとなった思想書

常々自分の精神性を高めたいとも思っていた私は、いわゆる思想書の類もよく読んでいた。UFOコンタクティーとして有名なジョージ・アダムスキーの「アダムスキー全集」(汪洋社) の中には「宇宙哲学」という本があり、恐らく彼が遭遇したという金星人から学んだと思われる、精神性を高めるための真理・哲学が述べられている。

インドの思想家、クリシュナムルティーの「自我の終焉」(篠崎書林)、「子どもたちとの対話」(平河出版社) も素晴らしい本で、何度も読み返した。

その後、この手の本としては珍しく一世を風靡した「神との対話」(ニール・ドナルド・ウォルシュ著、サンマーク出版) に出会った。この本はアダムスキーやクリシュナムルティーは一体何だったんだろうと思うほど平易で分かりやすく、私のバイブルとなった。どのように考えてどのような精神の持ち様で過ごせばいいかがこの本には書かれていた。学生時代にはずっと私を精神的に引っ張ってくれていた姉に紹介すると、その分かりやすさに感謝されたほどだ。

## 「ゴーマニズム宣言」から政治分野に

30代になってからは「ゴーマニズム宣言」(幻冬舎、他) に出会い、もっと身近な社会問題や政治の世界にも興味を持つようになった。「ゴーマニズム宣言」とは「東大一直線」や「おぼっちゃまくん」で有名な小林よしのり氏による政治・社会漫画だ。小林よしのり氏がオウム真理教の坂本弁護士一家殺害事件の犯人をオウム真理教と見て激しく追及したために、VXガスで暗殺され掛けたのは有名な話だ。私はその話を聞いて「この人は本物だ！」と思い、読み始めるようになったのだ。

「ゴーマニズム宣言」は綿密な調査や取材に基づく極めて学術的なものが多く、文章はかなりの読解力を要求される高度なものである上に、漫画にしては文字数が多過ぎるため、読めない人がいるくらいだ。読者を選ぶ漫画だ。

私は、学校教育により自虐史観を植え付けられた若者に非常に大きな影響を与えたと言われている「戦争論」(幻冬舎)、台湾の日本統治時代を扱った「台湾論」(幻冬舎) などを読み、日本の真の歴史を学校で教わっていないことを知った。さらに、黄文雄の「日本の植民地の真実 (扶桑社)、「大日本帝国の真実」(扶桑社) で大日本帝国の真の姿と、台湾、朝鮮、満州の日本の植民地経営の実態をさらに詳しく知り、日本への誇りを取り戻した。

37 歳のときに労働組合の執行委員になったことで更に真剣に政治について考えるようになり、当時やっていたSNS「mixi」で政治に関する様々な提言もしていた。その mixi への書き込みがきっかけで NHK の討論番組「日本の、これから」の裁判員裁判の回に出演したのもこの頃だ。裁判員裁判制度も、米国から毎年出される年次改革要望書での要求に沿ってやらされているだけなのではないかと疑っていたからだ。

## 9.11 から本格的に裏の世界探求へ

私が本格的に裏の世界を調べ始めるきっかけになったのは、9.11だった。

2001 年の 9 月 11 日にテレビをつけた私はその映像に釘付けになった。世界貿易センタービルの 1 棟目が煙を上げて炎上しているライブ映像だった。

2 棟目に飛行機が突っ込む映像を見たかどうかはっきりとした記憶はないが、ツインタワーが立て続けに崩壊する様子をリアルタイムで見たのははっきりと覚えている。それを見て「これは制御解体だな」と確信した。と言うのも、以前にアメリカの番組で制御解体の様子を見たことがあったのだ。

ビルを制御解体するには、建物の設計図を読み解き、どこにどのような配置で爆弾を仕掛け、どのような順番と時間間隔で爆破していけば、周辺の建物に損傷を与えずに真っ直ぐ下に落とすことができるか綿密に計算し、かつ計画通りに爆破して行かなければいかない。カメラの設計と同じようなもので、設計か実行段階のどこかにひとつでもミスがあれば、ビルは傾き、周辺の建物に損害を与えてしまう、非常にデリケートで難しい作業だ。それが、2棟とも、飛行機が上層階に突っ込んだだけで、あの鉄骨とコンクリートの頑丈な建物があのスピードで真っ直ぐ下に崩れ落ち、しかもコンクリートが粉塵化するまで破壊されるはずがない。そもそも鉄骨はどこに行ってしまったのか？アメリカ政府が主張するパンケーキ崩壊であるのなら、鉄骨も重さで潰れたとでも言うのだろうか？

米国の調査委員会の出した報告書の内容は全く納得のいくものではなかった。とにかく制御解体以外では説明のつかない極めておかしな現象だった。

しかし当時の私は、それが制御解体であることに確信は持っていたものの、まさか米国政府の自作自演だとは思わず、テロリストが事前に何らかの手段を使って爆弾を仕掛けていたのだろうと解釈していた。

ツインタワーが崩壊する映像を「刺激が強過ぎるから」との理由でアメリカの放送局が間もなく流さなくなったことや、ピッツバーグの原野に旅客機が墜落したとされる現場に、飛行機の残骸も遺体も一切見当たらないのを見て違和感を感じてはいたが、この時点では事の真相に本当の意味では気付いていなかった。

しかしそれから何年か経って、本屋でジャーナリストのベンジャミン・フルフォード氏の9.11に関する本を見付け、「やはりそうだったのか！」と事実を知り、ここから「世の中はニュースで報道されていることとは全く違うシナリオで動いている」ことを確信し、本格的に裏の世界の探求を始めることとなった。

この頃はSNSのmixi（ミクシー）をやっていたので、9.11の真相を追及するコミュニティーで、アメリカ政府の公式見解を擁護しようとする、支配者側の送り込んできたと思われる手強い工作員と日々やり合っていた。工作員は夜中の何時であろうと、こちらの書き込みに対して物の数分でやたらに技術的な知識をふんだんに盛り込んだ、それらしい反論の投稿を返して来た。

## リーマンショックから次々に起きる大事件

9.11 の後からは支配者の仕掛ける様々な事件が次々と起きるようになる。

2007 年はリーマンショック。支配者が意図的にバブルが崩壊するようなことを仕込み、株価を暴落させ、会社を倒産させて、底値で買い漁って自分たちの資産を増大させる、金融資本家たちが昔から繰り返して来た手慣れたやり方だ。

2009 年は豚インフルエンザパンデミック。パンデミックの定義を WHO が 1 か月前にこっそり書き換え、パンデミックの条件から重篤度を削除することで、軽症患者の数だけで宣言できるようにしたイカサマパンデミックだ。

そして 2011 年の 3.11 東日本大震災だ。

この年は私にとっては最悪の年だった。

「ドルが近々崩壊するので金が買いだ」との情報を聞いて 2007 年頃に金を買ったのだが、その際に業者に金の先物を勧められ、危険だと知りつつ手を出してしまっていた。それがこの年に大暴落をして、金額を書きたくないほどの大損害を被ることとなった。損害を取り戻そうと、残った資金で再チャレンジするものの、今度はボストンマラソン爆弾事件でまたしても急落し､再度の損害を被った。この事件は偽旗（やらせ）事件であり、被害者として報道された人物は実はクライシスアクターと呼ばれる役者であり、血を流していたのもすべて演技だったことを後で知った。支配者はこのような事件を捏造して株価や為替などを操作していることを身を持って体験した訳だが、余りに高過ぎる授業料だった。

また、会社の粉飾決済が発覚し、株価が暴落。私は持株会で自社株を持っていたので、その損害も重ねて受けることとなった（株価はのちに回復した）。

そして3.11である。

母親の住む仙台の実家は地盤の強固な高台にあったので幸いにも被害はほとんどなかったが、福島第1原発事故で日本が滅亡する恐怖と戦い続けた年だった。

私は地震発生時、東京ビッグサイトで展示会のアテンド（説明員）の仕事をしていた。菅総理がアメリカから「言うことを聞かないと新潟中越地震のようにまた攻撃するぞ！」と脅されているとの噂を確か聞いていた（今探したところ、その情報は見つからなかった）ので、地震が起きた瞬間に「そう来たか！」とアメリカの仕業だと悟った。電車は全て止まり、近くのホテルには宿泊拒否をされたため、私は自転車屋で自転車を買って、4時間掛けて途中からは膝に痛みを感じながらも家に辿り着いたあの日のことは今でも鮮明に覚えている。

3.11がアメリカによって起こされた人工地震であると見ていた私は9.11同様に、表に出て来ない真相を、かなりの時間を費やして調べた。

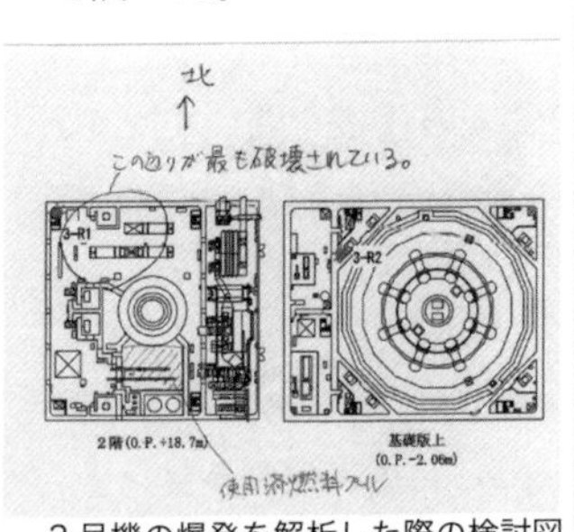


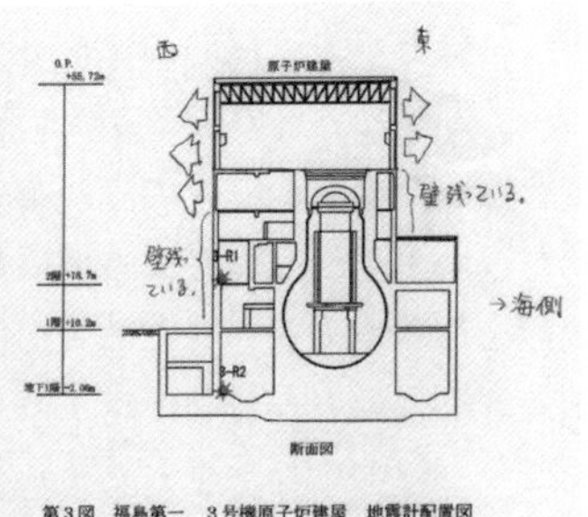

第3図　福島第一　3号機原子炉建屋　地震計配置図

3号機の爆発を解析した際の検討図

3号機の爆発が水素爆発にしては異常に大きかったので、何が起きたのかを知りたくて、3号機の破壊のされ方を、建屋の図面と破壊された様子の写真とを見比べながら解析したりもしていた。

アメリカによる攻撃ではないかとの視点とともに、日本の原子力行政の持つ問題点についてもかなり調べた。その中で原子力に関する不平等条約である日米原子力協定や日本の政策を実質的に決めている日米合同委員会についても知ることになる。

また、地震波形から3.11を人工地震とする説があったので、それを調べるうちに地震の本当のメカニズムと思われる「石田理論」にもたどり着いた。高温高圧下では水の一部がプラズマ状態になった水の第4形態「乖離水」になって体積を増しており、その条件が崩れる際に体積を減らしながら爆発的な反応、「爆縮」を起こし、それが地震であるとする説だ。(「巨大地震は「乖離水」の爆縮で起きる!」(石田昭、工学社)を参照)

## 広がる探究分野

これまでの探求分野に、9.11を契機として国際金融資本による世界支配の仕組みの探求が加わり、第5章で書いたように子どものアトピーからワクチンが、そしてリーマンショック、新型インフルエンザパンデミック、3.11を経て、コロナが始まる前の時点での探求分野は、心理学、粒子力学、波動医学、エントロピー、原子力発電の闇、地球温暖化詐欺、哲学、ワクチン、腸内細菌、STAP細胞、年次改革要望書、TPP、日米安保と日米地位協定、日米合同委員会、従軍慰安婦問題、地政学、歴史の嘘、千島学説とソマチッド、ナチスのUFO開発、農薬の危険性、遺伝子組み換え、西洋医学の嘘、フリーエネルギー、経済学、アラブの春、傭兵産業、日ユ(日本とユダヤ)同祖論、自虐史観、3.11人工地震説、地震の本当のメカニズム、地球空洞説、UFOの飛行原理、特定秘密保護法、ケムトレイル、電磁波、人工甘味料、不正選挙、明治維新の真実、ホメオパシー、ユダヤ人ホロコーストの真実、HAARP(気象兵器)、秘密結社、オウム真理教、創価学会、裁判員制度、精神医療の闇、アトピーの原因、お金の仕組み、派遣労働、重力の原理、IMF・世界銀行の闇、MMT理論、新型インフルエンザ詐欺、核武装論、日本の朝鮮・台湾・満州支配の真相、リモートビューイング、超古代文明、竹内文書・日本の隠された古代史、反日マスコミ、オーパーツ、食品添加物、中国のチベット弾圧、など際限なく広がっていた。

## アマゾンレビューを文章力の向上に活用

読んだ本は読みっ放しでは後に残るものがなくもったいないと思ったため、2004 年からは要点をまとめてアマゾンにレビューを上げるようにしていた。本のレビューだけで最終的には 600 ほど上げ、レビュアーランキングを上げることを励みにして月に数冊は読み、最高で 100 位以内にいたこともあった。

この作業により、知識のデータベースができたことに加え、文章の要点を的確に理解し、簡潔にまとめる文章力がついたと思っている。

## デーヴィッド・アイクへのチャレンジ

9.11 以降、探求の中心テーマだった国際金融資本＝ロスチャイルド・ロックフェラー＝ディープステートによる世界支配に関して、爬虫類人的異星人（レプティリアン）の存在を主張する英国の著述家・ジャーナリスト・思想家のデーヴィッド・アイクの本だけはずっと読むのを避け続けていた。表紙のレプティリアンのイラストを見て「さすがにこれはないだろう」と半ば白い目で見ていたのだ。しかしある日､意を決して「大いなる陰謀（上・下)」（三交社）を買って読んでみた。予想外に「本当ではないか？」と感じた。さすがにレプティリアンの写真は載っていなかったので確信を持つまでには至らなかったが、ダイアナ妃が英国王室の人々のことを「彼らは人間じゃない」「トカゲ」「爬虫類」などと呼んでいたこと、レプティリアンを見たという証言者の数々と彼らによるイラスト、世界中の神話に残る竜の存在など、「それはあり得ない！」と簡単に否定できるものでないことは明らかだった。

そして読んだ当時の「本当かも」との感触は、アイクの「バチカンでは子どもを生け贄に使った悪魔儀式が行われている」との到底信じ難い主張が、2014年の報道「カトリック聖職者による児童への性的虐待問題で、ローマ教皇庁（バチカン）は、2004年以来、約3,400件の事件を認定し、聖職者848人の資格を剥奪したことを明らかにした」でほぼ事実であったことを知り、確信に近いものへと変わった。

## コロナ騒動〜禁じられた保育園撮影

この分野の最後の大物と言えるデーヴィッド・アイクの本をほぼ読み尽くしたところで満腹感を感じ、一旦別の分野に探求の中心を移していて数年が経ったところに起きたのがコロナ騒動だった。

国際金融資本が、2009年の豚インフルエンザ、2012年のMERS（中東呼吸器症候群）など何度もパンデミックを起こそうとして失敗しているのはリアルタイムで見てきたし、それについて書かれた本もすでに読んでいたので、武漢肺炎がパンデミックに発展しそうな様子を見て、「仕掛けてきたな」とすぐに分かった。ただし、中国で街中での突然死が多発しているとされる映像を見て、今回は毒性が強い様だし、治療薬がなく、しかも無症状の段階でも感染力を持つらしいし、「やっかいなウイルスを撒いて来たな」と、ウイルスの性質に関しては私も当初はすっかり騙されていた。

私は娘が保育園に入園したときから、園長に写真の腕を買われて保育園全体の撮影係を任されていた。写真撮影は大学時代から続けていて、子どもの写真が一番得意だった。メインの被写体は子どもと女性で、人物写真は全般的に得意としていた。29歳のときに入ったオーケストラと、32歳で入った劇団の記録写真もずっと撮り続けていたので、舞台写真も得意だった。

保育園の写真は娘が卒園した後も保育園からの依頼で続けていて、コロナ騒動が始まった時点で14年間に達しようとしていた。開発職場を離れて仕事に余裕が出てからは、運動会や遠足などの行事の撮影以外に、毎月１回のペースで年休を取り、平日の保育の様子、子どもたちの自然な姿を作品として狙うこともしていて、それが私の一番の趣味でもあった。撮った写真は手頃な値段で保護者の方に販売し、以下のような感謝のメッセージをたくさん頂き、私の宝物になっている。

「いつも素敵な写真をありがとうございます！毎回楽しみにしています。園で楽しく過ごしている我が子の写真は、働いて一緒に過ごせない時間の姿を唯一見ることができる手段です。宮庄さんがいて下さるお陰です。そして宮庄さんが大スキな娘がしつこくまとわりついても優しく接して頂き感謝の気持ちしかありません。」

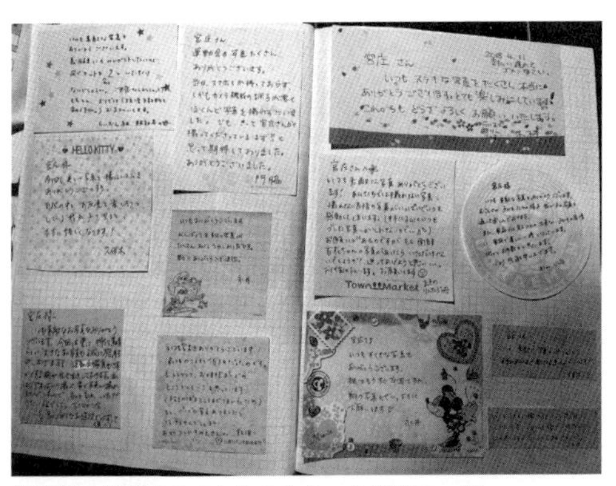

保育園の保護者の方々からもらった手紙の一部

最後の数年は、卒園児の入園からの写真を集めて卒園アルバムを編集して販売することもしていた。仕事として撮る写真館のカメラマンでは撮れない、一日中保育園にいる私だからこそ可能な、狙いに狙ってようやく撮れた写真で構成された卒園アルバムは、恐らく日本中のどこの保育園でも作れない、親としては最高に嬉しい宝物になるはず、と自負していた。

ところがコロナ騒動が始まった2020年の３月を最後に、部外者の立ち入りを禁止した保育園の対応によって撮影ができなくなってしまったのだ。

保育園でのお気に入りの写真の１枚

当時の一番の生き甲斐であり、ライフワークにしようと考えていた保育園での撮影を止められたことが、コロナ騒動の真相を追及する最大の原動力になってくれたことは確かだったが、仲良しだった子どもたちとの関係を無理やり断たれたことはやはりショックだった。特に、魅力的な被写体として素敵な写真をたくさん撮らせてくれていた子が勢揃いだった年中の子があと１年で卒園というタイミングで、その子たちに卒園アルバムを渡せなくなることが悔しくて、無念で堪らなかった。

## カメラの開発と医薬品の開発の違い

少し話を戻して、このように世の中の真実を追い求めて来た私は、幼稚園時代から将棋を始め、勉強の中では算数が一番大好きな、論理的な思考が得意な人間だった。

高校は進学校に進み、そこでの成績はそれほどいいわけではなかったが、受験勉強を頑張って地元の国立大学の工学部精密工学科に入学した。

卒業後は、大学時代に始めた趣味の写真撮影に使っていたカメラのメーカーのO社に入社し、希望通りカメラの開発部門で約20年間、カメラのメカ設計に携わった。

カメラの開発は私に取っては非常にハードルの高いものだった。論理的思考が得意のはずの私だったが、能力が全く足りておらず、厳しい上司の説教をたびたび受けていた。

そんな中でも、日々の業務の中で、亀の歩みの様にゆっくりとではあったが、徐々に論理的思考力を上げて行くことができた。

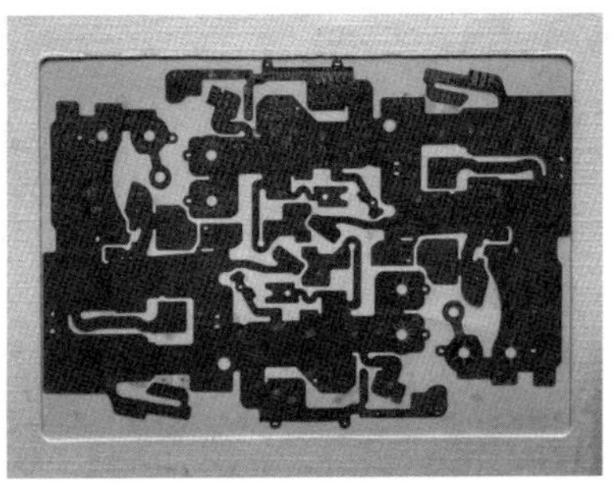

私がメカ設計したプリント基盤。機能・性能を満たすのはもちろんのこと、「良い設計は見た目も美しい」との上司の言葉を念頭に、私は“芸術品”としても設計しており、額に入れて飾っていた。

開発業務の中では、設計の制約条件を正確に漏れなく入手し、それらの条件を元に、目標にできるだけ近い理想的な設計をし、関係者による設計レビューを受ける際には開発以外の分野の人にも理解できるようにプレゼンテーション用資料を作り、素人に大しても分かりやすく説明する能力が求められた。「社長にも分かるように説明しろ」と上司からはよく言われていた。

試作品ができたら、組み立てて機能・性能をチェックし、問題点があったらその原因を徹底的に探る。設計が悪いのか、加工が悪いのか、組み立て方が悪いのか。しかしその解析のやり方は、大学では教えてくれなかったので、試行錯誤を重ねながら自分で確立して行くしかなかった。

この検討過程で落とし穴となるのは、問題の原因が1つとは限らないことである。従って1つの原因が見つかっただけで安心してはいけない。2つ目の原因があることに気付かずに痛い目にあったこともある。

原因が確定したら対策を講じる。この際も最初の設計のときと同じ様に、全ての制約条件を漏れなく抽出し、狙い通りの性能が得られるように慎重に設計しなければならない。

機械は馬鹿正直だ。設計した通りにしか動いてくれない。設計段階で考え落ちがあれば、たまたま問題のない設計になっていることなどほぼあり得ない。

考え落ちした部分はまず間違いなく問題を起こす。問題を抱えたまま製品化して販売することなど不可能だ。

その点は医薬品や食品とは全く違う。人体を相手とするこれらの製品では試験結果をいくらでも誤魔化すことができる。製品を見ただけ、体に入れただけでは嘘に気付かないからだ。

医薬品に狙い通りの効果があったかどうかを判定するのは実際には至難の業である。全く同じ人間は2人といないので、比較実験ができないからだ。

コロナワクチンの治験データに関して、崎谷博征医師が著書「ワクチンの真実」（秀和システム）の中で検証を行なっている。

それを見ると、**有効率90%とか95%という数字は解釈次第でどうにでも操作できる数字**であることが分かるし、比較対象群であるプラセボ（偽薬）は本来は生理食塩水でなければいけないのに、どう見ても別のワクチンなどの有害物質にしてあり、試験対象のワクチンの有害性を相対的に低く見せる操作をしているのが分かる。

このように**医薬品の効果や安全性は、試験結果を製薬会社の望むものに作り替えることはほとんど自由自在にできる**し、医薬品の本当の実力を医者や国民が知ることはほぼ不可能なのだ。

以上のことから、私は職業の中で、機械の設計をやっている人間は最も誠実で信頼できる職業の一つだろうと思っている。機械設計では嘘を付けないので、嘘を付かない習慣が染み付いているからだ。対照的に、私は医薬品業界、医療業界を基本的に信用していない。いくらでも嘘をつける業界だと思っている。

以上が、マスコミに「陰謀論にはまって家庭を崩壊させた」とされる男の真の姿である。

少しは私の主張を信じる気になって頂けただろうか？

私はいわゆる陰謀論者の中では、調査、研究に費やした時間が長く、知識も豊富で論理的な方なので、全ての「陰謀論者」が同じレベルだとは言わない。しかし私の知る限り、この分野を追求している人の多くは、例えば家族が医療でひどい目に遭わされたことから医療に対して疑問を持ったり、食の安全性について調べるうちに食品の安全性を下げることばかり行う政府に対して疑問を感じたり、何らかの「嘘」やおかしいことに気付いたことから探求の範囲を広げて行った人が多い。純粋に疑問に感じたことを自分なりに調べている人たちなのだ。

権威や政府、マスコミの言うことを信じずに、自分の力で調べ、考え、結論に辿り着いてみたら、そこはいわゆる「陰謀論」と呼ばれている領域だったというだけのことなのだ。

私が開発に携わったデジタル一眼レフ初号機 “E-1”

【第8章】

# コロナ騒動があぶり出してくれたもの

ブラックジャックによろしく／佐藤秀峰 ※本書内容と同作品、佐藤氏は無関係です。

## 私の行なったコロナ活動

「コロナ騒動を一刻も早く終わらせたい」「ワクチンを何としてでも止めたい」との思いから、考えられる活動は片っ端から何でもやってみた。

・国立感染症研究所にメールでPCR検査について何度も質問
・フェイスブックに「新型コロナを疑う」(現、コロナの真実を伝える会)というグループを立ち上げ情報発信と情報収集を行う
・コロナが怖くないことの説明用資料をまとめて保育園に2回説明に行った
・コロナのデモに何度も参加
・自作の説明用パネルを作り、コロナの街宣に何度も参加
・チラシを10種類以上作成し、印刷会社に印刷を依頼し、街宣やポスティングで配布
・街宣でのスピーチ用に80枚を超えるパワーポイント資料「新型コロナなぞとき紙芝居」を作成(これが後の「新型コロナ真相謎と

「ワクチン打って死にました」路上パフォーマンス。
息子がリツイートしてツイッター上でバズった。

き紙芝居」の基に)
・知り合いの市議の所属する地域政党の事務所にコロナの真相の説明に行った
・卓球仲間や会社の同僚にコロナやワクチンの真相を伝えた
・会社の感染対策本部にコロナやワクチンの真相を伝え、対策の見直しを求めた
・ワクチン接種を止めるために地元の裁判所にワクチンの仮差し止めの請求を出す
・腕に大きな注射器の模型を刺した状態で道路に寝る「ワクチンで死にました」パフォーマンスを決行
・地元の市役所にワクチンの中止を求めて陳情
・厚労省に「PCR 検査を使うようにとの指示がどこから来たかが分かる資料」などを開示請求
・入学した通信制の美術大学で、対面授業でのマスク着用を要求されたため、資料を渡して感染対策ガイドラインの変更を要求、受け入れられなかったが後期の授業料を返還してもらい退学
・ワクチン被害者遺族の映画上映会のスタッフを担当
・「新型コロナ真相謎とき紙芝居」を出版

コロナ騒動を終わらせるために 2022年 4月に出版した初の自著。推薦文は私が大ファンである船瀬俊介さんに書いて頂いた。

・地元でコロナの勉強会を何度も開催
・依頼を受けて大学生相手にネットでの正しい情報の取り方を講義
・コロナ替え歌を作詞、レコーディングしてユーチューブなどにアップ
・小学生のお子さんが学校でノーマスクで過ごすための教育委員会お

2023年2月23日の世界同時デモの後の有楽町駅前での街宣で
アナ雪の「扉開けて」の替え歌「マスク外して」を歌った。

よび校長との交渉に同席して支援
・街宣でコロナ替え歌を歌う

など。

とにかく、感染対策によって収入が減ったり仕事がなくなったりした人を助け、ワクチンによる被害者が出るのを止めたい一心だった。

## コロナ騒動が世の中の問題を浮かび上がらせた

これらの活動以外にも、入店時にマスクの着用を執拗に求めて来る施設とは何度も闘ったし、学校やスポーツクラブなどでお子さんがマスクを強要されることと闘っている親御さんの姿をたくさん見て来た。たかがこどものマスク一枚を外すだけで、尋常ではない量のエネルギーを費やさざるを得なかった親御さん（ほとんどは母親）の努力は本当に涙ぐましいものだ。その中で、コロナ前の平凡な日々の中では気付かなかった、日本人と日本の社会特有の問題、現代社会の抱える世界共通の問題など、多くの問題点に気付かされた。

これから書くことは、コロナ活動仲間の多くからも聞いていることなので、私だけの思い込みではない。コロナ活動に専念するために、

2021年の６月末で会社を辞めたことにより見えてきたものもある。

ちなみに私が仕事を辞めようと考えたきっかけは会社が希望退職を募ったからであるが、辞める決断をした理由は主に２つ。
・現在を人類史上最大の危機であると私は認識しており、仕事に使う時間をもったいなく、そして全ての時間をコロナ活動に使いたいと思ったため。
・緊急事態宣言が終わってもいつまでも感染対策を漫然と続ける会社のバカさ加減に嫌気が差したため。
会社の提示した希望退職の条件が望外に良く、仕事を辞めても老後まで生きて行けそうな目処が立ったことがその決断を後押ししてくれた。
会社を辞めた理由にはコロナが大きく関わっており、コロナが私を家庭と仕事から解放してくれたとも言える。

2021年から私の人生は全く新しいステージに入った。

## 日本人と日本特有の問題

以下は私の気付いた日本人と日本社会の問題点である。今回のコロナパンデミックは日本社会の問題点を全体的にあぶり出してくれたことを考えると、実は思ったほど悪いものではなかったのではないかと思っている。

### 1. テレビと新聞の影響力が絶大であること

私がワクチンの危険性に関する資料を用意して、それを知人に見せながら説明すると、その場では理解して納得したように見えても、結局はワクチンを打ってしまう。たかが30分や１時間程度の説明を一度しただけでは、連日の何時間にも渡るテレビ報道の海に埋もれてしまってテレビの洗脳には勝てない。全てのテレビ局、新聞社が同じような方向性の報道を繰り返していたら、どんなに我々が真実を伝えたとしてもほとんど勝ち目はない。

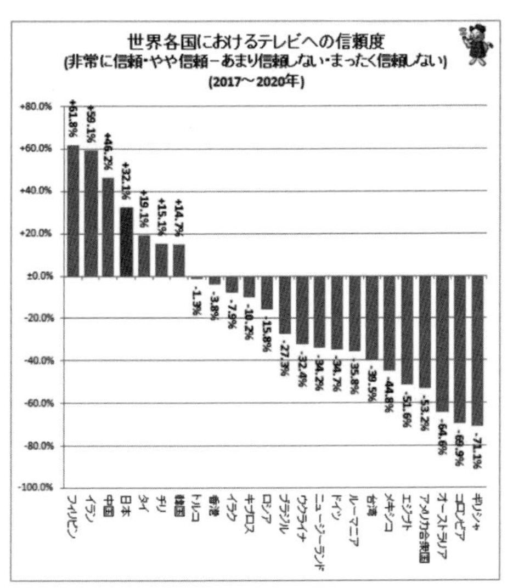


「World Value Survey（世界価値観調査）」より「テレビに対する信頼度」のグラフ。信頼している人の方が多ければ上向きのバーで表示される。

日本人は欧米からは考えられないほど、マスコミを信用している人の割合が高い。従って欧米と比べるとマスコミに受ける影響の大きさも比較にならないほど大きいはずだ。

## 2. 役所と学校は指示待ち人間ばかりであること

市役所に陳情に行き、「ワクチンを止めるべき」と伝えても、「国からの指示に従ってやることしか我々にはできない」というようなことをよく言われる。大量殺戮が起きることが分かっているワクチンでも**上からの指示におとなしく従うことしかしようとしない**。自分の責任で市民を守ろうという気概、責任感は一切感じられない。

学校も同じ。マスクなど感染対策の緩和を校長に要望しても「教育委員会のガイドラインに沿ってやらざるを得ない」と言い、教育委員会と話せば「文科省のガイドラインに沿ってやっている」と言われる。上からの指示がおかしかったら、それに異議を唱えることができるはずなのにやろうとしない。とにかく波風を立てることを一切しようとしない人間ばかりだ。

## 3. 日本人は自分の頭で考えられない人間ばかりであること

これは国民全般に言えること。役所や学校で起きていることが、全ての国民の間でも起きているのだ。すなわち、上から指示が降りてくるのをひたすら待っている。

このようになってしまう一番の原因は、日本の教育にある。

ここで日本の教育の歴史を振り返ってみる。

1872年（明治5年）に義務教育がスタートする。それまでは希望する子が寺子屋や藩校で学ぶ形だった。

当時の日本では、外国からの植民地化を警戒し、強い国造りが求められていた。そのため、トップの命令に従順に従える人材や言われたことを時間内に正確に再現できる人材が大量に必要だった。

そのため、軍国主義で国力を上げていたドイツの教育システムを取り入れ、国家主義的な義務教育を整備していった。

今まで教育をまともに受けたことのない子どもたちが多数だったため、少ない資源（教師）で大量の知識を大量な人材（子ども）に詰め込む必要があった。そのために全員が同じ内容を同じ方法、同じペースで学ぶ、画一・一斉型の授業スタイルや、時間で区切って効率的に生活していく時間割型生活様式、校則をもとに生活する、全体主義的生活様式などが採られた。

そして1941年、国家総動員法の流れを受けて、国民学校令が出される。

これにより、今まで認められてきた家庭教育や学校以外の教育の機会が失われることになった。この頃から「学校は必ず行くもの」との固定概念が生まれた。

敗戦後、GHQが「四大教育指令」と呼ばれた命令を順次発布。これを機に「6・3・3」の単線型の学校教育制度が導入された。それまでの日本は5年制の旧制中学から医学専門学校に進めたり小学校から実業学校で学ぶことができたりする「複線型」の教育を行っていたが、アメリカをモデルとして「単線型」としたことで、本来アメリカが望んでいた「個性尊重」の教育とは逆行していくことになった。

高度経済成長時代に突入すると、大量の優れた労働者が必要になり、「言われたことを、時間内に正確に再現する力の養成」が教育に求められた。また、国際的な競争激化により、学習内容は増加の一途を辿った。
(以上、ゆるっとポケット学校「学校教育の歴史からみる　学校教育が問題だらけになってしまった理由」https://gyublog.com/japanese-education-history/ から引用)

均質な工場労働者を生産するために、上からの指示におとなしく従う人間を大量生産するための教育が長年行われてきた成果と言うか弊害が今、表面化して来ている。
先生の言うこと、教科書に書いてあることだけが正しく、それをひたすら暗記し、テストにそれを間違えずに書く。その訓練をひたすら繰り返し繰り返し練習させられてきたのだから、大人になってもその習慣はちょっとやそっとのことでは抜けない。

ちなみに私の場合は民間の会社で開発の仕事をしていたために、上から指示されたことをやるだけでは全く評価されなかった。そのような仕事をすると、「お前は子どもの使いか？」と叱責された。自分の頭で考えて、付加価値を付けることを要求されたのだ。
このように民間の会社員であれば、会社や職種にもよるが、自分の頭で考えることをある程度は要求されるので、教員や役人ほど指示待ちで自分の頭で考えられない状況にはならないだろう。

私のコロナ活動仲間の仕事を見てみると、組織に属さず、個人で仕事をしている人が多い印象を受けている。

私の経験からも、組織に属しているとどうしても自分の考えを抑える習慣がついているので、会社のやることに疑問を持ちにくい傾向があるのと、大きな会社や公務員であれば、感染対策が行われても自分の給料には響かないので、より影響を受けやすい個人事業主ほどには感染対策に対する疑問を持つ機会も少ないことからコロナの嘘に気づくチャンスは減る。

その結果、個人事業主や無職の主婦の方に気付いている人が多くなるのだろう。

もう１点、戦後にGHQが進めた3S政策が挙げられる。

大衆の関心をSPORT（スポーツ）、SCRRN（映画）、SEX（セックス）に向けることで、民衆が感じている社会生活上の様々な不安や政治から興味を逸らし、大衆が本質的なことを深く考えないようにし、自由に操ろうとする政策のことである。この中のSCRRNはその後、テレビに置き換わり、そこにテレビゲームが加わり、さらにスマートフォンが加わったと言っていいだろう。

これに加えて、小泉の構造改革によって拡大した格差社会の中で、**貧困化した多くの国民は、日々の生活に精一杯で、政治のことを考える時間など奪われてしまっている。**また、日本社会はこの30年間は実質賃金の上昇がなく、例え貧困ではなくても多くの国民が長時間労働を余儀なくされており、そのことも、政治についてじっくり時間をかけて考えられない要因になっていると思われる。

## 4. 学校は子どものためのものではないこと

小中学校の不登校児童数が2021年度の時点で過去最多を記録している。その後はさらに増えていると思われる。これはコロナの際に極めて厳しい感染対策が採られたことにより、行事の中止、おしゃべの禁止、マスクを着けての授業、中でも体育や音楽などは苦しかったり歌えなかったりで授業の質が大きく低下していること、お互いの顔が見えないこと、本来は個人の自由であるはずのマスクを着けないと先生や生徒から着けるように圧力を掛けられるなど、学校から楽しい要素がほとんど消え去り、苦行の場と化しているからだと思われる。同時期に子どもの自殺も過去最高を記録している。

私の周りには、自分のお子さんのマスクを健康上などの理由から外させたくて学校や教育委員会などと何度も交渉している保護者の方がたくさんいる。そこから聞こえてくるのは、**学校は上（教育委員会）からの指示、保護者の目、周辺住民の目を気にするばかりに、本来の主役であるはずの子どもたちの気持ち、健康、発育、経験、コミュニケーションといった大事なものを全く重要視せず、言わば無視して来た**と言ってもいいことである。言い換えると、校長や先生たちは、自分の保身のために、自分が犠牲になってでも子どもたちのために闘うことを選択せず、あろうことか子どもたちにその皺寄せを持って行っていると言っていいだろう。

親としては「主役は子どもたちではないのか？！」と言いたくなるが、それは実は我々の勘違いであって、この章の３で書いたように、学校とは「工場や会社で大人しく上司の命令に従う画一的なロボットのような人材を育成するための仕組み」だと考えれば全く不思議ではない。

学校がおかしいのではないかと言われ始めたのは、私の記憶によれば学級崩壊が起き始めた1990年代後半からだと思うが、私が小学生だった1970年代で既に、学校は子どもにとって居心地の良い場所ではなかった。私は学校が大嫌いだった。４年生のときに私が書いて新聞に載った詩が以下のものである。リズムがいいので今でもよく覚えている。

　　ぼくの気持ち
　学校から帰ったら遊びたい
　いろんなことをして遊びたい
　勉強なんてしたくない
　遊んでばかりでいたい
　学校がなければいい

学校は、遊びたい盛りの子どもたちを椅子に縛り付け、おしゃべりを許さず､黙って先生の言うことを聞き､黒板の字をひたすたノートに写すことを求める。先生の言ったことだけが正しく、テストではあらかじめ用意された以外の答えは、どんなに素晴らしい発想のものであっても間違いにされる（たまに例外の先生がいて、息子は中学の理科のテストで「植物の生育に必要な３つの要素は？」との問いに「水、太陽、愛情」と答えて丸をもらった）。

私は娘の通っていた保育園で記録係として 14 年間に渡って写真を撮っていた。とても家庭的な素晴らしい保育園だったので、部外者が参加できるイベントには卒園児がよくやって来る。しかし、保育園時代はあんなに無邪気で自由で輝いていた子どもたちの表情が、すっかり輝きを失い、くすんでしまっているのだ。

このことを別の表現で表してくれた説明を聞いたことがある。それは、「就学前の子どもはほぼ 100％が天才だが、大きくなるにつれて天才の割合は減って行き、20 歳を過ぎると天才は３％程度しかいなくなる」（数字は正確ではないが）というものだ。

これを私は以下のように解釈する。すなわち、**自由な発想をできる子どもの素晴らしい魂は、学校における「一つの答えしか認めず､先生の言うことこそが正解」だとする､教育という名の「洗脳」により、自由な発想力は時と共に芽を摘まれ続け、ついには発想力自体がほとんどなくなり、上からの指示がなければ怖くて何も**

**できない「指示待ち人間」に成り果てる**のである。何を隠そう私も会社に入ってからでさえ、しばらくの間は上司や先輩の指示がなければ何もできない指示待ち人間だった。さすがにカメラの開発現場でそれではいい商品ができるはずもないので、上司から徹底的にしごかれ、ようやく自分の頭で考えられる人間になったが、それほどまでに指示待ち人間を作り出す日本の洗脳教育は根深いものなのである。

私から見た学校は、「子どもの可能性をひたすら潰し続ける場所」である。

私は、中には例外があることも知っているが、基本的に今の**日本の学校には行くべきではない**と考えている。

とは言え、「小中学校は義務教育だから行かなければいけないんでしょ？」という声が聞こえて来そうだ。確かに小中学校は「義務教育」と呼ばれているが、実際には学校に全く行かなくても卒業はできるので、学校に行き授業を受けることは義務でも何でもない。ただし形式的に所属することは義務のようだ。

教育に関して定めた憲法第26条にはこう書かれている。

1. すべて国民は、法律の定めるところにより、その能力に応じて、ひとしく教育を受ける権利を有する。
2. すべて国民は、法律の定めるところにより、その保護する子女に普通教育を受けさせる義務を負ふ。義務教育は、これを無償とする。

権利と義務が並んでいて、どちらが優先するのか分かりにくい書き方だが、「権利」の方が先に書かれている上に、学校に行かなくても卒業できることから、あくまで「権利」が優先であり、教育を受けたい子に対しては、親が教育を受けさせる義務がある、と解釈するのが妥当だろうと思っている。つまり、学校に行かない子が異常でおかしいのではなく、学校に行くのは選択肢の一つなのだ。

結論。**学校へは行くも行かないも自由！子どもの可能性を潰すような学校には行かなくていい！**

## 5. 自分の考えよりも周りの多数派の考えを重視すること

「空気を読む」「周囲との調和を重視する」のは日本人の美徳のように思われていたが、海外から見るとこれが日本人の異常性として映るし、私もこれは日本人の最大の欠点ではないかと思っている。

**自分がどう考え、何をしたいかよりも、周りの人がどう考え、どう行動するかを重視**し、それにひたすら合わせて、自分が少数派にならない考え方、行動を選択する。自分の考えを全く大切にしないのだ。

ヨーロッパ在住経験のある知人から聞いた話では、ランチの際にメニューを「みんなと同じでいい」と言うと、「君は何を食べたいんだ？自分の食べたいものを選べ！」と叱られるそうだ。何に関してでも自分の意見をしっかりと持ち、主張することが欧米では求められるようなのだ。そこは日本と大きく異なる部分だ。

日本の場合、多くの人は自分がどのような考えを持っていたとしても、周りの多数の考えに自分の行動を合わせる。本来であればそのことでストレスを感じるはずだが、標準的な日本人はそれよりも周りの人々と考え方や行動が違うことの方に強いストレスを感じるのだろう。

それで丸く収まるケースも多いのかもしれないが、少なくとも今回のコロナ騒動においてはこの性質が、コロナがいつまで経っても終わらない要因になってしまっている。「周りの人の半分がマスクを外したら自分も外そう」と考えている日本人が５割以上いたら、国民の５割強は永遠にマスクを外すことはできないのだから。

## 6. 日本人は徹底的に権威と肩書きに弱いこと

**日本人はとにかく政府、学者、医者などの権威と専門家に弱い。**

政府、学者、医者が平気で嘘をつくことを知らないのだろうか？
彼らは聖人ではない。生活のためにやっている仕事なのである。

少し考えれば分かるように、政治家は票を取れないと政治家の地位を維持できない。多くの票を取るためには、大きな組織の票を丸ごと得られるようにするのが手っ取り早いし確実だ。そのためには大きな組織にとってメリットのある政策を打ち出せばいい。

学者、すなわち大学教授は以前は政治家ほどお金で動く存在ではなかったように思う。しかし、小泉構造改革の一環で２００４年に国公立大学が独立行政法人化されてからは、どんどん国からの交付金が減額され、教職員の給料も減らされ、外部からの資金を得るためには「儲かる研究」をしなければならなくなった。必然的に関連業界の思惑に左右される。医療関係であれば製薬会社や医療機関の利益になる研究に協力することになり、彼らの主張を肯定せざるを得なくなり、大学教授の言葉の信憑性は低くならざるを得ない。

医者に関して言うと、ほとんどの医者は保険診療を行なっている。国から診療報酬をもらっており、聞いた話によれば、国の方針に逆らうと診療報酬をカットされるらしい。従って国のやっていることがおかしくても、それに逆らうことは難しい。

また、医者の中には製薬会社から様々なお金をもらっている人がいる。講師料だったり原稿執筆料だったりコンサルティング料だったり。いずれにしても製薬会社からお金をもらっていれば、製薬会社の利益に反する発言をしにくいのは自明だろう。

コロナが始まって、テレビに出続けている医者や学者には、製薬会社からお金をもらっている人間が多い。例を挙げれば二木芳人（昭和大学医学部客員教授）、忽那賢志（大阪大学大学院医学系研究科教授）、三鴨廣繁（愛知医科大学大学院教授）、松本哲哉（国際医療福祉大学主任教授）、寺嶋毅（東京歯科大学市川総合病院教授）などだ。

その他にも私は今回のコロナ騒動で、
・日本政府は国民のためになることをしようという気はほとんどないこと
・国民のために本気で動いている国会議員はほぼ皆無であること（2022年6月になってようやく、国会議員や地方自治体の首長によって構成される「子どもへのワクチン接種とワクチン後遺症を考える超党派議員連盟」が発足した）
などを感じた。

## 7. 日本においては「お願い」やガイドラインが法律と同等の効力を発揮すること

今回の騒動で一番驚いたことの一つが、日本人には**「お願い」や「ガイドライン」を「ルール」あるいは「絶対に守らなければいけないこと」と頭の中で自動変換してしまっている人**が異常に多いということだ。

新聞の勧誘員に「新聞を取って下さい」とお願いされても断り、街で募金をお願いされても簡単に無視するくせに、店でマスクや消毒を「お願い」されると、まるで拒否できないものかのようにほぼ全員が大人しく従って来た。店員の側も同様で、「お願い」に過ぎないもののはずなのに、やたらと高飛車に、しつこくマスクの着用を求めてくる。中には勘違いして、ノーマスクの客を入店拒否しようとする店員もいる。店としてノーマスクの客を本当に入店拒否するルールを定めている店も中にはあるが、単なるお願いであるにも関わらず、店員個人の勝手な思い込みで客を追い出そうとすることがあるのだ。店の責任者や本社に確認させると、「単なるお願い」であり、強制ではなかったと分かって謝罪されるケースをよく聞く。

「お願い」と並ぶのが「ガイドライン」である。

ガイドラインはあくまで目安、参考情報であり、法律ではないので強制力はない。しかし、各省庁からその監督下の組織にガイドラインが下されると、その組織は必ずそのガイドラインを厳格に守り、さらに厳しくした詳細なガイドラインを定め、その下の組織に下ろす。これが繰り返され、末端の組織、学校や店舗、公共施設、スポーツ団体などになるとガチガチのルールとなってマスクが必須になっていたり、さらには不織布マスクに限定されていたりする。

欧米とは異なり、幸いにも日本ではマスク、ワクチン、外出制限などが法律で強制されなかったが、マスクとワクチンに関しては、法律で強制された国よりも装着率、接種率が高かったほどだ。国民は政府の言うことに実に大人しく従った。

新型インフルエンザ等対策特別措置法（特措法）に基づき各都道府県により実施された、飲食店などに対する営業制限要請に、ほとんどの店舗が大人しく従ったのも異常だった。緊急事態宣言や「まん防」（まん延防止等重点措置）の際に店舗に対して出されたのは「要請」または「協力依頼」、つまり「お願い」であり、法的強制力のあるものではなかったのにも関わらずだ。

確かにこれに関しては、国民が「お願い」に大人しく従うのとは違い、店舗によっては営業するよりも得するほどの額の「感染拡大防止協力金」が出されたことも関係していたが、飲食店に営業制限を掛ける根拠に疑問を感じつつ、本当は営業したいのを我慢して要請に従った店舗も多かったはずだ。

これらは、国が日本人の国民性をよく把握した上で、「日本においては他国のように法律による強制は必要ない」と判断して採った巧妙な戦略だったのではないかとさえ思えてくる。法律で強制しなければ、問題が起きた際の責任は取らなくていいし、強制した場合に予想される国民の反発も考えなくていい、国にとっては実に都合がよく効率のいい「おいしい話」なのだ。

## 世界の構造は我々の認識している ものとは全く異なる

ここからは、日本に限らず、世界に共通する現代社会の抱える「陰謀論」的問題を挙げて行く。

### 1. 大きな組織は支配のピラミッドに組み込まれていること

社会の大きな組織はすべて支配者＝権力者を頂点とするピラミッドに組み込まれており、そのような組織に属していると上からの指示に従わなければならない奴隷のような状態にある。

私は比較的大きな会社にいたので、最後の数年間は会社が世界経済フォーラムから下りてきたと思われる指示に忠実に従う様子を見てきた。第四次産業革命（industory 4.0）とソサイアティー（society）5.0、SDGs がそれだ。

まずは以下のサイトに第四次産業革命と society5.0 の解説があったので引用して説明する。

(https://liberal-arts-guide.com/fourth-industrial-revolution/)

**■第四次産業革命とは？**

**・第一次産業革命**・・・18 世紀末、人間の労働力に変わり、水・蒸気を動力源とした機械を使った製造が導入（機械化）された。工場制という新しいシステムにより、社会が急速に工業化。

**・第二次産業革命**・・・20 世紀初頭、工場内に電気という動力源が導入された。作業の分業とベルトコンベアの流れ作業のシステムによって、大量生産が可能になる。

**・第三次産業革命**・・・1970 年代、工場内に産業用ロボットや工作機械が人間に変わって導入された。ICT 技術を通じて急激な情報処理の発展が行われ、精巧な自動化が可能に。

それに続き、現在の社会に訪れている急速な技術革新と時代の変化が「第四次産業革命」と呼ばれている。

日本政府は具体的に、第四次産業革命を下記のように説明している。

・実社会のあらゆる事業・情報がデータ化・ネットワークを通じて自由にやり取り可能になること（IoT）
・集まった大量のデータを分析し、新たな価値を生む形で利用可能になること（ビッグデータ）
・機械が自ら学習し、人間を超える行動や判断が可能になること（人工知能）
・多様かつ複雑な作業についても自動化が可能になること（ロボット）

つまり、冒頭で説明したように、あらゆる産業分野が「デジタル化」「コンピューター化」「ネットワーク化」「オートメーション化」されると同時に、革新的な製品やサービスが登場している現代の産業の変化が、「新たな産業革命である」と考えられている。

## ■ society5.0とは？

「society○.0」とは社会の発展段階を指す用語で、日本政府は第5期「科学技術基本計画」で、以下のような発展段階を示している。

・狩猟社会（society1.0）
・農耕社会（society2.0）
・工業社会（society3.0）
・情報社会（society4.0）
・超スマート社会（society5.0）

これはいわば、日本政府が描いた、第四次産業革命の時代における理想的な社会だ。

この「society5.0」という段階においては、

・「サイバー空間（仮想空間）とフィジカル空間（現実空間）を高度に融合させたシステムにより、経済発展と社会的課題の解決を両立する、人間中心の社会」

・「必要なもの・サービスを、必要な人に、必要な時に、必要なだけ提供し、社会の様々なニーズにきめ細やかに対応でき、あらゆる人が質の高いサービスを受けられ、年齢、性別、地域、言語といった様々な違いを乗り越え、生き生きと快適に暮らすことのできる社会」

という未来生活が想定されている。

(引用は以上)

内閣府の「ムーンショット目標」より

このsociety5.0の社会のイメージを、内閣府は「ムーンショット目標」という形で提示している。具体的には、

・2050年までに、複数の人が遠隔操作する多数のアバ ターとロボットを組み合わせることによって、大規模で複雑なタスクを実行するための技術を開発し、その運用等に必要な基盤を構築する。

・2030年までに、1つのタスクに対して、1人で10体以上のアバターを、アバター1体の場合と同等の速度、精度で操作できる技術を開発し、その運用等に必要な基盤を構築する。

・2050年までに、望む人は誰でも身体的能力、認知能力及び知覚能力をトップレベルまで拡張できる技術を開発し、社会通念を踏まえた新しい生活様式を普及させる。

といった感じで、我々一般国民にとってはSFにしか感じられない、違和感満点、「本気で言っているの？」と思わざるを得ないような文言が並んでいる。

SDGsは比較的知られた言葉だが、これについても簡単に説明しておく。

## ■ダボス会議がリードするSDGsとは？

持続可能な開発目標（SDGs：Sustainable Development Goals）とは、2001年に策定されたミレニアム開発目標（MDGs）の後継として，2015年9月の国連サミットで加盟国の全会一致で採択された「持続可能な開発のための2030アジェンダ」に記載された、2030年までに持続可能でよりよい世界を目指す国際目標。17のゴール・169のターゲットから構成され、地球上の「誰一人取り残さない」ことを誓っている。

(以上、外務省資料より）

SDGsの17のゴール

「貧困をなくそう」「飢餓をゼロに」「人や国の不平等をなくそう」「海の豊かさを守ろう」など、SDGsでは誰も反対できないような耳障りのよい目標ばかりを並べているが、その実現性の乏しさや裏の目的に関して危惧する声は多い。(「SDGsの大嘘」(池田清彦、宝島社新書)参照)

SDGsは国連が設定したものではあるが、2017年に世界経済フォーラムがダボス会議で取り上げたことにより国際的に注目されるようになった。

これらの概念・施策が突然、世界標準のような形で同時に世界各国に下ろされ広がって行くのを見て、「一体誰が言い出したもので、なぜ当たり前のようにすべての企業が受け入れて進めているのだろう?」と漠然とした違和感を感じてはいたが、会社を辞めてみるとそれらがはっきりと見えてきた。

私のいたO社の社長は恐らく世界経済フォーラムのメンバーであり、そうであればダボス会議に出席した際に、これらの施策を社内で進めるように指示を受けているはずだ。指示には飴と鞭のセットが付いており、従えばたんまりとご褒美をもらえるが、従わなかったら恐ろしい結末が待っているのだろう。これは色々なところで聞く話だ。

社長が支配者から指示を受けたことには、会社内ピラミッドで社長の下に位置する役職の人間は必ず従うことが要求される。それが会社というものだからだ。社長が自分の考えで間違った判断を下したのなら、部下は社長に異議を唱えることはできるし、それが健全な組織だ。しかし支配者から受けた指示、すなわち命令に背くことは許されない。従って社員は全員、その指示に従わされることになる。

私が社員だったときには、上からの指示には従う習慣が付いていたので、それほどの違和感を感じていたわけではなかったが、会社を辞めてみると、当時の自分が、自分の考えを押し殺して上からの指示に従うケースが多かったことに気付いた。

コロナワクチンの危険性を訴えているのが、徳島大学の大橋眞名誉教授、ウイスコンシン医科大学の高橋徳名誉教授、大阪市立大学の井上正康名誉教授、新潟大学の岡田正彦名誉教授、そして京都大学の福島雅典名誉教授、開業医の内海聡氏、吉野敏明氏といった具合に、名誉教授と、保険診療を行わない医師ばかりが目立つのはそのためだろう。あるいは組織の意向に反する考えを主張しているために教授になれない京都大学の宮澤孝幸准教授のようなケースだ。

そう言えば3.11の後にマスコミで引っ張りだこになった京都大学の小出裕章助教は、京都大学原子炉実験所に就職して以来、一貫して原発の危険性を訴えてきた。京都大学で同様に反原発を訴える研究者グループ、通称「熊取6人組」の1人だったが、6人はいずれも出世することなく、その研究者人生を終えている。大きな組織では、「自分の意見は言えない」か、「自分の意見を言ったら冷遇される」かのいずれかだ。

従って現在私は、「世界経済フォーラムからの指示が来るような大きな組織に属することはリスクでしかなく、会社や組織には基本的に所属すべきではない」との考えに至っている。すこし極端な考え方かもしれないが。

## 2. 現代西洋医学は患者のためではなく製薬会社と医療関係者の利益のためにあること

これは以前から分かっていたことではあったが、それがより明瞭に見えてきた感がある。

・医者はとにかくワクチンを打ちたがること。打つ前にリスクを伝えようとしない。

・ワクチンを我々国民にあれほど勧めておきながら、副反応被害が出るとワクチンとの因果関係を徹底して認めず、医療機関をたらい回しにしてまともな治療をしようとしないし、国はワクチンとの因果関係を頑なに認めようとしない。

次の事実を見れば、製薬会社は我々の健康のことなど一切気にしておらず、会社の利益のために薬を作っていることが分かるだろう。

・コロナワクチンにより免疫が低下し、帯状疱疹になっているのに、それに対して帯状疱疹ワクチンを進める（メルク社）

・ファイザーはコロナワクチンを提供するに当たって、一切の製造責任を免除され、ワクチンの被害者が出ても一切の保証をしなくてもいい契約を各国政府と締結している。

・ファイザーは適用外使用や未承認の臨床試験を行うなどの違反を延々と繰り返し、罰金や和解金で10年間赤字だった、前科75犯、制裁金1兆円以上の犯罪企業である。

医療業界がこのようになった原因を知るには、現在の西洋医学の歴史を辿る必要がある。

20世紀初頭に、石油会社スタンダードオイルで財を成したジョン・D・ロックフェラーは、税金から逃れるために1913年にロックフェラー財団を設立する。財団であれば、公益目的の事業に関しては非課税となるためだ。そして原油から石油を抽出した残りカスであるコールタールを有効活用するために、化学合成された医薬品によってのみ病気を治せるとするいわゆるロックフェラー医学による医療の独占を画策する。

スタンダードオイルとジョン・D・ロックフェラー

ここのところずっとビル&メリンダ・ゲイツ財団がワクチンに巨額の投資を続けているのは、「公益目的」と主張することで財団としての優遇措置を受けられるためだろう。

話を戻して、アロパシー（対症療法）の医師だけで構成された米国医師会（1847年設立）は最初から圧力団体であり、団体の目的は、米国における医療の絶対的な独占支配を確立することだった。

ロックフェラー財団と米国医師会は結託し、アブラハム・フレクスナーという男に「医師と医学部が多過ぎる」との報告書を書かせ、議会に提出した。報告書の中で、数百年以上前から存在する自然療法はすべて非科学的であるとの結論を出した。議会はこの報告書に基づき医学校の数を大幅に減らし、米国医師会だけが医師免許を与えられるようにした。

また、米国医師会は新薬に対する「認定証」の発行事業を開始した。実際にはまともな試験を行う施設も能力も医師会は持ち合わせていなかったが、これにより米国医師会と製薬会社は持ちつ持たれつの共犯関係を築いた。米国医師会は効果がなく危険な薬に次々と認定証を出し、多くの被害者を出し続けた。

また、副作用を引き起こさず治療効果も高く、広く普及していたホメオパシーや、カイロプラクティク、ホリスティック医学、漢方薬などの在来療法に様々な手段を使って激しい攻撃を加え、駆逐することで「ロックフェラー医学」は医学の主流になったのである。（参照：「医療殺戮」ユースタス・マリンズ著）

つまり、**現代西洋医学の目的は「利益」であって、患者の健康ではない**のだ。薬を売ることを目的とした医学、いや、「商売」と言ってもいいだろう。

## 3. 公的機関が中立であるとは思わない方がよい

具体例を挙げると、コロナ関係ではWHO、CDCが該当する。

WHO（世界保健機関）は実はビル・ゲイツの利益と彼のやりたいことを実行するために存在する。

これはデータを調べて分かったことで、国連傘下の国際機関であり、中立性があると日本人の誰しもが思っているであろう**WHOへの資金提供者のトップは、ビル&メリンダ・ゲイツ財団**（以下ゲイツ財団）であること。詳しく書くと、米国政府に次いで２位がゲイツ財団であり、３位はゲイツ財団が中心となって作ったワクチン推進団体であるGAVIである。２位と３位の合計金額は１位の米国を超えており、WHOが誰の意向に最も左右されるかと言えばビル・ゲイツなのだ。

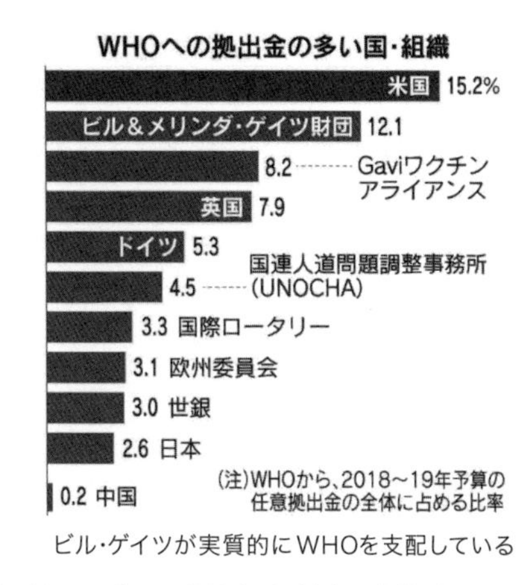

ビル・ゲイツが実質的にWHOを支配している

WHOがパンデミックを宣言し、ゲイツ財団が巨額の出資をしたワクチン会社がコロナワクチンを世界中で売りまくる。**コロナ騒動は巨大なマッチポンプ**なのだ。

ちなみにWHOの発出する**パンデミックの定義は、2009年の新型インフルエンザのパンデミック宣言が出されるわずか１か月前に突如変更**されている。

それまでは重症者や死者の数がパンデミック宣言発出の条件に含まれていたが、**重篤度が条件から外された**のだ。つまり、感染者の数さえ十分にあればパンデミックを宣言できるように変わったのだ。それも新型インフルエンザのパンデミック宣言の１か月前に。

わざわざパンデミックを宣言しやすくする理由は明らかだろう。ワクチンを売るためだ。

このころまではまだマスコミが機能しており、「WHOと製薬会社とが共謀して危機をあおり、ワクチンを売ろうとしている」と批判していた。

CDCは、自らの利益のためにコロナ患者を水増ししてでも作り出したい動機を持っている（拙書「新型コロナ真相謎とき紙芝居増補改訂版」参照）。

米国のCDC（アメリカ疾病予防管理センター）という組織は保健福祉省所管の感染対策の総合研究所であり、日本でそれに相当するのは厚労省あるいはその傘下の国立感染症研究所（感染研）であろう。

しかしこの**CDCは実はその予算の半分を、CDCの保有するワクチン特許から得ているワクチン会社**でもあるのだ。

CDCはコロナ患者（PCR検査陽性者）を入院させると1万3,000ドル、さらに人工呼吸器を付けると3万9,000ドルの補助金を病院に支給した。オバマケアに基づく通常の患者に対する補助金から大幅増額である。

ちなみに米国では人工呼吸器を装着した場合の生存率はわずか10％であり、人工呼吸器の装着はほぼ「死」を意味する。日本の救命率90％とは逆である。

病院としては患者を「コロナ患者」として扱った方が利益が出るわけであり、新型コロナウイルスの断片がわずかにあるだけで陽性判定し、コロナ患者扱いするPCR検査（WHOが世界中で使うように指示した）と、WHOが2020年4月に世界中の保健機関に対して出した指示「『新型コロナウイルスに感染しているおそれがある』と判断される場合には、ウイルスの検査をしなくても『死因を新型コロナにするように』」と相まって、「コロナで入院させ、人工呼吸器を装着してコロナ患者とコロナ死者を大量生産する」動機になっている。

実際にCDCは2020年の8月に、COVID-19による死亡の94％に他の原因があった（要するに持病による死亡）こと認めている。少なくとも20倍程度のコロナ死者の水増しが行われていた証拠である。

ロバート・ケネディー・Jr氏によれば、医薬品規制、食の安全を責務とするFDA（アメリカ食品医薬品局）は、医薬品承認予算の75%を製薬業界から受け取っており、総予算の約45%は製薬業界からのものだとしている。実際に、プロジェクト・ヴェリタスの隠し撮りインタビューで、FDAの人間が、**製薬会社から巨額のお金をもらっているから、認可を出さないわけにはいかない**のだ、と話している。FDAも製薬業界の思いのままに動かされていると考えるべきである。

このように「公的機関」だと思っていたものが実は何者かの利益を追求するための組織であるケースは他にも多々あるはずだ。WHOやFDAのように金を出せば乗っ取れるのだから。「公的機関」の看板は、それを支配する者にとっては極めて都合がいい。企業と違ってやっていることを疑われにくいからだ。各国から出資を受けることも、寄付をもらうことも簡単にできる。実にいい隠れ蓑だ。

有名なところではFRB（連邦準備制度理事会）もそうだ。「中立でない」どころか純然たる私的企業だ。頭に「連邦」と付いていてアメリカの中央銀行を装っているが、実際は欧米の銀行家たちがその支配権を握っている民間の銀行だ。同様に日銀も最近まで東証二部に公開されていた上場企業であったと言えば、この世の中がいかに我々の認識と異なる姿をしているかが分かるのではないだろうか。

【コラム2】

**▶私の好きな真実暴露系ユーチューバー** その2

## ヘブニーズ（HEAVENESE）

和楽器を取り入れた実力派ゴスペルバンド。

YouTubeチャンネル「Heavenese Style」で、リーダーのMarreさんと妻Kumikoさんの二人で、コロナを中心とした真実暴露系情報の発信を続けている。

視聴者から募集した替え歌の動画も人気。

毎週日曜日に「Heavenese Style」の収録を行なっている東京都調布市のキックバックカフェは、反コロナの聖地と呼ばれている。

【第9章】

# 西側メディアの伝える世界の多くが虚構

ブラックジャックによろしく／佐藤秀峰　※本書内容と同作品、佐藤氏は無関係です。

第8章の最後で、公的機関が中立であるとは思わない方がよいことを説明した。それとも関連する内容の2つのレポートを紹介する。いずれもオーストリア在住の著作家、佐藤シューちひろさんのレポートだ。彼女はドイツ語力を生かしてヨーロッパや世界の動きに関する最新情報を入手し、深い透察力で優れたレポートを日々書かれている方だ。

以下は2023年3月18日にフェイスブックに投稿されたもので、ウクライナ戦争における国連調査委員会に関する話だ。(小見出しはこちらで追記した)

## レポート1【国連の調査委員会は信頼できるのか?】

### 国連人権理事会は信頼できるのか?

アムネスティ・インターナショナルだとかヒューマン・ライツ・ウォッチだとかの独立のNGOが、どこそこの国が人権侵害を行なっていると非難しているというと、多くの人は、それが真実なのだろうと思う。ましてや、国連の人権理事会の調査報告だなんていうと、これでいよいよ真理がはっきりしたと思ったりする。

この3年間で、私たちは国連機関である世界保健機関(WHO)が、どれだけ嘘をつき、甚大な健康被害があることを隠し続けて、推奨さえしてきたことを散々見てきた。それで、独立した監査機関だろうが国連機関であろうが、真実を言っているとは限らないのだということを、知ることができたわけだ。

ウクライナの戦争で、人権侵害が行われているというので、国連の人権理事会が調査委員会を設立し、調査を行なうことになった。その結果がこの頃出たというのだけれど、それによると、ロシア軍が市民を無差別攻撃し、捕虜を虐待し、女性たちを強姦し、子供たちを拉致したというようなことだった。この一年間ドンバスからの情報を追っていた人からすると、一体どこをどう見たら、こんな報告ができるのかと驚く。ドンバスで、ウクライナ軍が市街地を爆撃しているのを、この人たちは見なかったのだろうか？　ウクライナ軍がドンバスの住民を地下室に閉じ込めて、人間の盾に使っていたのを知らないのだろうか？　ウクライナ軍が国際法で禁じられている小型地雷をドンバスの街のあちこちに撒いていて、草地に落ちていた地雷を踏んだ子供が足を失う大ケガをした話を聞かなかったのだろうか？　ロシア軍が撤退したあとの村で、ウクライナ軍が住民をロシアの協力者として虐殺していたのを、知らないのだろうか？　ロシア軍が女性を強姦していたというのは、ウクライナの女性政治家が語った作り話だったことも聞いていないのだろうか？

ところで、この調査委員会は、50回ほどもウクライナを訪れて調査したというのだけれど、ウクライナ政府の案内で、ウクライナ軍がコントロールしている領域だけを視察し、ウクライナ政府の訴えだけを聞いてきたというのだ。だから、本当に戦闘が行われているドンバスには入りもせず、住民から話を聞くこともなかったわけだ。こんな調査をして、「中立の、独立した調査機関」としてまかり通るのだから、まったく驚いてしまうけれど、これが実は「いつものこと」だったことが、だんだんとわかってきた。

アメリカの軍事専門家のスコット・リッターは、国連の武器監査役としてイラクに送られ、イラクには大量殺人兵器はないと報告した。ところがしばらくして、ガラス瓶に入った白い粉末を見せ、これがイラクで発見された炭疽菌兵器だと主張し、そっちの方が通ってしまったのだ。炭疽菌といったら猛毒だけれど、彼はその小瓶を持って、議会のセキュリティにノーチェックで通っていて、そのスピーチのあとには、スーツのポケットに小瓶を入れて、去っていったそうだ。そのことからしても、あの粉末が危険な生物兵器などではなく、単に粉砂糖か何かだった可能性は大きい。

しかし、アメリカの目的は、アフガンとイラクを攻撃して、アメリカが支配できるような政権に変えることだった。そのためには、どんなに筋の通らない理屈であろうと、人々を納得させるような理由がいる。そのためにアメリカは中央情報局（CIA）を使って、メディアを買収し、人々が信じてしまうまで、何度でも繰り返させるようにしているのだ。これをオペレーション・モッキンバード（マネシツグミ作戦）というのだけれど、この方式がどれだけの効果を発揮するのかを、私たちはこの3年ほどで、嫌になるほど見せられてきた。

## 国連化学兵器禁止機関の欺瞞〜戦場報道を操作する欧米諜報機関

シリア政府軍が毒ガス兵器を使っていたという話では、2015年に国連の化学兵器禁止機関が調査委員会（JIM）を作り、シリアは毒ガス兵器を使用していない、という調査結果を発表したそうだ。ところが、西側メディアはそれをほとんど報道せず、2018年になって、今度は別の調査委員会IITを設立した。すると今度は、この新しい委員会がシリア政府軍が毒ガス兵器を使用した、と発表したのだ。ところでこの調査委員会は、国連機関でありながら、国連から資金を受けてはおらず、その代わりにアメリカやイギリスなどの政府が資金を出していたそうだ。そのことからして、またJIMのときのようなことにならないよう、あらかじめ買収してあったのじゃないかというのは、かなり現実的なこととして考えられる。

ホワイトヘルメットに救出される子どもたちは、アサド側により、クライシスアクターだと指摘された。ロイター通信が批判された。（CHANNEL4）

この調査委員会がシリア政府軍の犯行である根拠として出したのは、ホワイトヘルメットという救助グループが撮影した動画だけだった。しかしこの動画には、病院の待合室に飛び込んできたホワイトヘルメットのメンバーが、そこにいる人々にホースで水をかけている様子が映っていただけだった。毒ガスにやられた被害者に、こんな風に水をかけて何かの助けになるとは思えない。毒ガスにやられたのなら、倒れるとか咳をするとかしていそうなものだけれど、そこに映っている子どもは、ただ普通に座っているだけだった。水をかけられて寒いということ以外、特に問題があるようには見えなかった。

ホワイトヘルメットは、中立の民間のボランティア団体だということになっているのだけれど、実のところはイギリスの諜報部が組織したという話もある。いずれにしても、ホワイトヘルメットが活動している領域は、反政府派が支配している領域だけで、アサド政権がコントロールしている領域には入ってこないらしい。**ホワイトヘルメットは、救助グループと言いながら、実はテログループ**だという話もある。実際、シリアの住民はホワイトヘルメットを忌み嫌っていて、ホワイトヘルメットが連れていったケガ人は、生きて帰ってはこないというようなことが言われていたりするらしい。とにかく、彼らはアサド政権の領域には入ってこないし、アサド政権は彼らを敵とみなしているらしい。

そのホワイトヘルメットが、救援活動の現場を撮影して、その映像が世界中で報道されているのだけれど、それがクライシスアクターを使ったやらせ画像だというのだ。たしかに、いろいろな画像を突き合わせてみると、同じ人物が別な場所での救助活動の場面として、何度も登場していたりするし、メイキングオブみたいな感じの、撮影風景を撮った動画が出ていたりもする。負傷者役ががれきの中に寝ていて、ホワイトヘルメットが救助するところを撮影するのに、カメラの位置が決まって、撮影となったときに、負傷者が急に苦しみの声を上げ始め、ホワイトヘルメットのメンバーは救助作業を始めて、ガレキの中からその人を引き出して連れて行っていくところが映っている。

ホワイトヘルメットは、シリアの映像でオスカー賞を受賞したというのだけれど、画像が映画の場面みたいに鮮明にきれいに撮れているところを見ても、ハリウッド映画のように高い機材を使って、撮影のプロが撮影したもののように見える。アングルや光の入り方なども見ても、その場で撮影したとは思えず、かなりの時間をかけて、照明などもセットして撮影しているように見える。戦争もの映画のロケの撮影じゃないかと思うくらい、実にかっこよく撮れているのだ。ネットで画像検索しただけでも、同じ顔が負傷者になったり救助者になったりして何回も出てきたりするのだけれど、それがまた映画俳優みたいな整った顔立ちをしている。それを見ていると、この人たちはきっとプロの役者みたいな人たちなのだろうと思う。その映像を見たかぎりでは、これは救助のためのボランティア団体などというものではなく、プロパガンダ画像を撮影するためにシリアに送られている組織なのだろうというのが、透けて見えるような気がする。

メディアが真実を伝えていると思っている人たちは、このホワイトヘルメットの画像を見て、シリアの政府軍が罪なき人々を虐殺していると思い込むわけなのだろう。それで、この残虐を行なっているのは、アサド政権なのだと思うようになっている。そんな映像を根拠にして、国連の調査委員会が、アサド政権が毒ガス兵器を使ったということを報告したというわけなのだ。

ところで、この報告があったあとで、この調査委員会の母体となっていた国連の化学兵器禁止機関 OPCW から、4 人のメンバーが別々に、あの報告は事実ではないと告発した。彼らは 3 年前に、別な調査委員会 JIM が、シリアは毒ガスを使っていないという調査結果を出したのを知っているし、シリアがやったという根拠が、ホワイトヘルメットの動画だけというのでは、あまりに見え透いていると思ったのじゃないかと思う。

## ザポリージャ原発を攻撃したウクライナ軍

昨年 9 月に、ウクライナのザポリージャ原発が爆撃されているというので、国連の原子力委員会の視察団が送られたときも、何だか似たようななりゆきだった。視察団はウクライナ政府に受け入れられてキエフから入ったのだけれど、ザポリージャはロシア軍がコントロールしている地域にあったから、ウクライナの領域からロシア軍の領域への境を車で越えていった。そして、ザポリージャに到着して、ロシア軍に迎え入れられたとき、原発の建物がウクライナ軍によって攻撃されているのを、視察団は目撃したのだ。使われた武器は、NATOがウクライナに送ったものだった。それで視察団は、ウクライナ軍がザポリージャ原発を攻撃していて、ロシア軍を原発を攻撃から守っているのを確かめたはずだった。しかし、原子力委員会は、ただ原発が損傷しているということだけを報告して、どちらが攻撃しているのかについては言及を避けた。そして、「誰がやったのかについて判断を下すのは、原子力委員会の責任ではない」と言ったのだ。

明らかに誤報だが、訂正報道はない（ANNより）

つまるところ、アメリカがNATOに攻撃させたい国が、人権侵害の行為を行なったという調査結果が出ることになっているらしい。それでアメリカは軍事攻撃を正当化することができるからだ。もし違う結果が出たら、別の説を持ち出して、そちらの方をメディアで報道させて、人々がそうと思い込むようにしてしまう。

ところで、今回の国連人権委員会のウクライナ調査委員会に選ばれたのは、たったの3人だけだったそうだ。一人はノルウェー、一人はボスニア、もう一人はコロンビアの人だった。それだけ聞いたら、中立なグループなのだろうと思えるけれど、それぞれちゃんとアメリカ寄りの発言をする人を選んでいたらしい。いずれにしても、3人というのはあまりに少ないのじゃないかと思うけれど、シリアの毒ガス兵器の調査で、化学兵器禁止機関から4人も内部告発者が出てしまうという失敗を繰り返したくなかったのだろう、とドイツ人ジャーナリストのトーマス・レーパーは言っていた。確かにアメリカ寄りだと信頼できる3人だけならば、間違いは起こらないと思ったのだろう。そして実際、実情を知っている人にとっては、この結果はあり得ないと思うような、見え透いた嘘の報告を、この3人は見事にやってのけたのだ。(レポートは以上)

続いて佐藤シューちひろさんの投稿をもう一つ紹介する。これもウクライナ戦争関係で、国際刑事裁判所がプーチン大統領に逮捕状を出したとのニュースについてだ。結論を書くと、この国際刑事裁判所も中立ではない。

## レポート2.【誘拐された子どもは誰なのか？】

### 国際刑事裁判所がプーチンに出した逮捕状の驚くべき罪状

国連人権理事会が、ウクライナの戦争でロシアが戦争犯罪を犯したと報告したすぐあとで、今度はデン・ハーグの国際刑事裁判所が、プーチン大統領に逮捕状を出したというニュースが出て、一体世界はどこへ向かっていくのかと思った人も多いんじゃないかと思う。

国連人権理事会の調査というのも、この一年間、ドンバスからの情報を追っていた人間にとっては、一体どこを見たら、こんな報告ができるのかと驚くくらいに、現実とまるきり逆のものだ。だけど、国際刑事裁判所がプーチンの戦争犯罪としているものは、市民の虐殺でもジェノサイドでもなくて、何と**子どもの強制連行**の件だったのだ。

このことは、国連人権理事会がロシアの戦争犯罪として挙げていた、ジェノサイドだの性暴力だの虐待だのといったことは、何の根拠もない話なのだということを、暗に示してしまっているようだ。実際、ブチャの虐殺はウクライナ軍の自作自演だったことがすでに表に出てしまっているし、ロシア兵が住民に性暴力をふるったという話は、ウクライナの女性政治家がでっち上げた嘘だったことが判明している。国連人権理事会は、ウクライナ政府側の話だけ聞いて、それをそのままに報告しただけなのだ。しかし、国際刑事裁判所としては、そんな話で逮捕状を出すわけにはいかなかったのかもしれない。それで、子どもの強制連行を罪状にすることになったんじゃないかと思う。

それというのも、戦争が始まってからのこの一年、実際に大勢の子どもがウクライナからロシアに来ているからだ。これが国際法違反に当たるのかどうかは別として、とにかく確かに来てはいる。その意味では、まったく根も葉もない話ではない。ロシア外務省報道官のマリア・ザハロワによれば、ロシアはこの一年間に400万人のウクライナ難民を受け入れており、そのうち子どもは60万人以上だという。そのうちの何人かが、違法に連行されたということになるのかもしれない。しかし、これがどこのどういう子なのかは、国連も国際刑事裁判所も公表していない。

国際法では、戦争状態にある領域で、親のいない子どもたちを国境を越えて避難させることが禁じられているということが、国連人権理事会の報告書には書いてあった。ロシアに避難した子供たちのうち何人かは、戦争孤児だったかもしれないし、あるいはとにかく親がその場にはいない子たちだったのかもしれない。昨年10月に、ロシア軍がヘルソンから撤退するときに、住民の多くをロシアに避難させたことがあった。その中には、孤児たちもたくさんいたのかもしれない。

ロシア軍が撤退した地域にウクライナ軍がやってくると、残っている住民はロシア軍に協力した裏切り者だということで殺される危険が大きいのだ。実際、それがブチャで起こったことだった。住民は、ロシア軍から食糧援助を受けたというだけで、裏切り者とみなされて、その場で撃ち殺された。ヘルソンからロシア軍が撤退を迫られたときも、ウクライナ軍の間では、住民たちはロシア軍に抵抗しなかったのだから、裏切り者だということさえ言われていた。幼稚園や孤児院のおばさんたちだって、やっぱり裏切り者なのだから処刑しなければ、というようなメッセージがSNSで流れていたということだった。それがわかっていたら、ロシアに逃げる以外何ができるだろう？　そんなところに子どもたちだけを残していくわけにもいかないのだから、一緒に連れて行くしかない。これが国際法違反だと、国際刑事裁判所は言っているのだろうか？

ウクライナからロシアの領土になっているクリミア半島は、夏にバカンスをすごしに行くような場所らしいのだけれど、子どもたちがサマーキャンプにクリミア半島に行っている間に、家のある地域がロシア軍からウクライナ軍の管理下に変わった場合、子どもが保護者の同伴なしに家に帰ると、国際法違反になる、というようなことまで、国連人権理事会の報告には書いてあった。そのために帰れなくなった子どもたちがクリミア半島にいなければならないのが、幼児虐待だということを言っているのだろうか？

### 露軍が誘拐された子供たちの地下収容所を解放？

この一年にウクライナからロシアに連行された親のない子どもたちといったら、幼児売買のために誘拐されて、隠れ家に閉じ込められていた子どもたちがいる。ウクライナはソ連崩壊後、西側に食い尽くされ、腐敗させられていて、闇の巣窟のようになっていたらしいのだ。それで、幼児売買や売春組織、臓器売買などあらゆる闇の事業のセンターがウクライナにはあるのだという。実際、ロシアの軍事介入が始まった頃、代理母センターが、代理母の女性たちが外国に避難したまま帰ってこないかもしれないのが心配だという記事が報道されていた。ウクライナは代理母が許可されている数少ない国の一つだというのだけれど、このことは、ウクライナには裏で大きなお金が動いている闇の世界があるのだろうということを感じさせた。

軍事介入が始まってからすぐに、ウクライナのあちこちに誘拐された子どもたちが閉じ込められていることがわかり、その救出のためにロシアの特別部隊スペツナズが送られたという情報があった。これは諜報関係から流れてくる情報で、表のメディアには出てこない情報なのだけれど、世界中で多くの子どもたちが行方不明になっていることは確かだし、かなり信憑性のある話なのだろうと思う。郊外の一軒家の地下などに、誘拐された子どもたちを隠している場所があり、大きいところでは、100 人以上の子どもがいたということだった。ロシア軍の特別部隊は、そういう場所を探し出して、子どもたちを救出していたというのだ。

マウリポリの教会の地下に集められた避難中の子どもたち(NHK)

ロシアの軍事介入は、ウクライナの闇社会にとって、また別の意味があったらしい。子どもたちが閉じ込められている場所では、多くはすでに 大人たちが逃げてしまって、子どもたちだけが放置されている状態だったという。ロシア軍が来たら捕まると思って、国外に逃亡したらしいの だ。スペツナズはその子どもたちを救出して、ロシアに連れていき、親を探して親元に返したり、養親を探したりした。その多くはロシアで誘拐された子どもだったというのだけれど、ウクライナの子どももいたのかもしれない。国際刑事裁判所が言っているのは、その子どもたちのことなのだろうか？

また、ロシアの諜報は、アドレノクロム製造所がウクライナにあることを発見して、そこに閉じ込められていた子どもたちを救出するために、スペツナズが送られたという情報もあった。それによれば、ウクライナの戦争が始まってから、アドレノクロム製造所がアメリカからウクライナに移されてきているのだという。アメリカでは、闇の商売がだんだん危なくなってきているのだけれど、ウクライナは腐敗した軍隊がついているので、闇世界では最も安全な場所になっているのだという話だった。そこで救出した子どもたちも、ロシアに送られた。国際刑事裁判所が子どもたちの不法移送といっているのは、そのことなのだろうか？

プーチンとともに逮捕状が出たのは、リボワ・ベロワという女性で、この人は大統領府で子どもの人権を担当している人だ。この人は、ウクライナから難民としてやってくる親のいない子どもたちを受け入れるために、養子縁組を容易にするための法改正に関わったということだった。また彼女は、ドンバスでウクライナ軍の攻撃に遭って負傷した子供たちが、ドンバスではできないリハビリを受けられるように、ロシアへ送る手配をしていたということだった。国際刑事裁判所が戦争犯罪者として逮捕しようとしているのは、そのためなのだろうか？

国際刑事裁判所は、やはり英米のグローバル金融エリートの言うなりに動いている機関らしく、これまでアメリカやNATOの戦争犯罪などは、いくら証拠がそろっていても、告発することはなかった。それで、アメリカに都合の悪い国の人権侵害は、少々事実を曲げてでも訴えるのだ。今回のプーチンに対する逮捕状も、アメリカのバイデン政権に強要されてやったのだろうと書いている記事があったけれど、おそらくはそんなことなのだろう。それで、何とかかんとか理屈が通りそうな罪状を考え出したのじゃないかという気がする。

ロシアの大統領報道官のドミトリー・ペスコフは、「こんな訴えは、他の多くの国々もロシアも認めることができません。このような結論づけは、法的に無効であるというのが、ロシア連邦の見解です」と声明を出していた。ロシアは国際刑事裁判所を認めておらず、加盟もしていないので、だからどのみち国際刑事裁判所は、ロシアには何の法的権限もないらしい。この国際刑事裁判所というものが、実のところロシアや中国などのアメリカに都合の悪い国を、人権侵害をする国だとして宣伝するための機関なのだとしたら、ロシアが加盟しないというのは、当然だ。それでいながら逮捕状を出したというのは、よほどの圧力がかかったからなのかもしれないけれど、これは国際刑事裁判所の権威を世界的に地に落す結果になったのじゃないかという気がする。

西側の国では、メディアが一斉にやっぱりロシアが悪いと大騒ぎするだろうけれど、その他の国では、国際刑事裁判所がこんなことをするのかと、一切の信頼を失うようなことになるんじゃないかと思う。西側の国で、主流メディアが嘘をつくのを知っている人たちもだ。私も、国際刑事裁判所はそれでもまだ頼りになるのじゃないかとこれまでは思っていたけれど、今度の件で国際刑事裁判所の本当の姿を見てしまったように思った。ノーベル平和賞と同じで、まずは逆が真実だと思っていた方が、当たる確率が高いというくらいのものなのかもしれない。

**トランプ、プーチンに出された逮捕状の意味**

ところで、プーチンに逮捕状が出たと思ったら、トランプにも妙な逮捕状が出たというのだから、これは一体どういう符号なのだろう？　トランプに出た逮捕状というのも、マンハッタンで起こったある不法行為に責任があるとかいうことなのだけれど、根拠があることのようにも思えない。これもあるいは単なる言いがかりなのかもしれないけれど、何故プーチンとほぼ同時に逮捕状が出るのだろう？

西側のグローバル金融エリートたちにとっては、プーチンとトランプは世界で最もいなくなって欲しい二人なのだと思う。その二人に同時に言いがかりみたいな逮捕状が出るとは、何だかまるで、最後の望みを託して無謀な行為に出たかのように思える。

BRICS 諸国が経済力を増していく中で、グローバル金融エリートたちにとっては、ウクライナの戦争は BRICS をつぶす最後のチャンスだったのかもしれない。しかし、ロシアは逃げ切ってしまった。もはやいくら経済制裁をかけても、ロシアは別の領域で流通網を拡大していき、豊かになっていくばかりだ。こうなったら、バイデン政権になってから貧困がひどくなり治安も悪くなっていたアメリカで、次の選挙でトランプが大統領になる確率も高くなる。

ウクライナの戦争が始まるまでの経緯を見ていくと、これはすでに何年も前から計画されていたことなのがよくわかる。それが、トランプが政権を取ったことで妨げられていたのだ。2020年の選挙でバイデンがあんな無茶な不正で押し切ったのも、何としてでもウクライナの戦争を実現させなければならなかったからなのかもしれない。それが失敗して、アメリカはもうウクライナに軍事援助する余裕がないとなったときに、あのお粗末な国連人権理事会の報告が出て、国際刑事裁判所の逮捕状が出、同時にトランプの逮捕予告だ。

私には、これは末期的な行動のように思える。あと数日で冥王星が水瓶座に入り、嘘が通らなくなる時代が来るけれど、それで最後のあがきみたいにこんなことが起こっているのだろうか？　あるいはこれが、真実が表に出るためのきっかけになのだろうか？

私にとっては、プーチンの逮捕状は、ロシアは本当に何の戦争犯罪も犯していない証拠だと思えるし、そしてまた、誘拐されていた子供を救出したという話は、陰謀論ではなくて事実なのだということを示しているように思える。すでに真実の力が強くなってきていて、もはや嘘を隠そうとすればするほど、大きく表に出てしまうというようなことになっているんじゃないかという気がする。(2023.3.19の投稿より)

このように世の中は、西側のマスメディアが伝える表の姿と、その実態が乖離しているケースが非常に多く、大きく目を見開いて自分で情報を集めないと、このような「詐欺」に騙されてしまう。世の中は実は巨大な詐欺で成り立っているフィクションの世界なのだ。

【終章】

# グローバリズムの終焉、今、世界は転換点に

ブラックジャックによろしく／佐藤秀峰　※本書内容と同作品、佐藤氏は無関係です。

西側メディアの詐欺的報道によってコントロールされて来た世界も今、ついにその転換点を迎えている。

三たび、佐藤シューちひろさんのレポートをご覧頂きたい。

## レポート3.【グローバリズム＝植民地支配の終焉】

### 習近平とプーチンの握手が意味するもの

ちょうど春分の頃、冥王星が水瓶座に入る直前に、中国首席、習近平がモスクワを訪問して、ロシア大統領プーチンと熱い握手を交わしていた。その画像からは、それが何かとても特別なことなのだということが見て取れた。二人の表情には、ついに大きな念願が叶ったというような、深い感動が感じ取れた。最後に空港へ向かう習近平を、車のところまで見送ったプーチン大統領は、「これは100年来の転換だと思います」と言い、習近平は「私もそう思いますよ」と答えた。

歴史的な習近平のモスクワ訪問。中露協調で西側の経済制裁はブーメラン効果となった。

そのときは、その言葉の意味がよくわかってはいなかったのだけれど、その後、中国とロシアの国際関係についていろいろな情報を見ていくうちに、これがけっして誇張ではなかったということが納得できた。これは実際に、この100年ほどの世界の歴史を根底から変えてしまうようなできごとだったのだということが。

3年前に奇妙なパンデミックが世界を支配し、一年前からはウクライナでの戦争に世界が翻弄されたことで、私たちは西側の国々は主権など持ってはおらず、実のところ世界を支配しているグローバル金融エリートの言うなりなのだということを、さんざんに見せつけられた。実際、政府はその数年前からグローバル金融エリートが送り込んだ工作員に乗っ取られていて、その指示通りにしか動いていなかった。それで西側の国では、治験段階ですでに多くの犠牲者を出していた薬の使用が義務付けられるというような恐ろしい事態になり、一年前からは自国の経済を犠牲にしてまで、ロシアへの経済制裁に協力させられている状態だ。政府は、国民のためなどに動いてはおらず、グローバリストの指示通りに動いていたのだから、事実上の植民地支配だ。

第二次世界大戦後、アフリカやアジアの植民地は、民族自決の原則で、それぞれに独立国になることになった。それで、もはや植民地はなくなったはずなのだけれど、これは実のところ、見せかけだけのことにすぎなかった。ロシア在住のドイツ人ジャーナリスト、トーマス・レーパーによると、アフリカの地下資源の採掘は、ほとんどが西側諸国との生産分与契約（Production Sharing Agreement = PSA）という取り決めによっていて、西側諸国の企業が採掘の設備に投資すると、その設備はその企業の所有になり、採掘された資源の75%は企業のものになる。残りの２５%だけが、その国のものだ。これは、植民地時代の不平等条約と変わらない。だからアフリカは石油にしても鉱石にしても、非常に豊かな地下資源を持っているのにもかかわらず、世界で最貧の状態なのだ。

つまり、西側諸国は、貧しい国への開発援助という名目で、税金を使って地下資源採掘設備をこしらえ、そして、その権利の75%ほどを企業が持つ、というしくみになっている。西側諸国は、これをグローバル化という名目で推し進めてきた。グローバル化とはつまり、かつて植民地戦争で行なってきたことを、経済侵略で起こっているということだったのだ。

食糧援助についても同様で、西側諸国は食糧援助といって、大規模な農業開発をし、自家採種ができない種類の穀物を導入して、西側からの種や肥料、農薬に依存した農業をアフリカやアジア、中南米で広めている。その結果、その土地の農家は大部分が破産することになった。農家が手放した土地を吸収して、大規模農業はさらに大きくなっていく。これは、経済援助でも何でもなく、独占という名前の植民地支配に他ならない。実際そのために、アフリカは食糧を外国からの輸入に依存することにさえなっている。ところで、土地の農業が機能していたときは、アフリカは食糧を外国に輸出していたというのだ。

そして、アフリカやアラブの国が、地下資源を国有化しようとしたり、外国からの輸入品に関税をかけて、自国の産物を守ろうとすると、自由経済を妨げようとする独裁国家だと騒がれることになる。西側諸国は「民主化のために」という名目で、反政府派を支援、武器援助して、テロやクーデターを起こさせたりもしている。

こうしたことが、シリアでもリビアでもイランでも起こった。そのためにアメリカは中央情報局（CIA）を使って、反政府組織を支援したり、でっち上げたり、それが「民主化のため」だという風にメディアを操作して宣伝している。それには、全米民主主義基金(NED）だとか、共産主義受難記念基金だとか、いろいろなアメリカの政府機関も関わっており、アムネスティ・インターナショナルやヒューマン・ライツ・ウォッチなどの人権保護の名目で動いているNGOもある。国連の国際刑事裁判所も、実はそうした目的で動いている機関だったことも、この頃のプーチンに対する逮捕状ではっきりと表に出た。

西側グローバリストの利益に反する政治家や組織は、独裁的で、人権無視の弾圧を行なったという事実をでっち上げられ、経済制裁や軍事攻撃の口実にされていたのだ。

ところで、20年くらい前から、状況が変わってきた。ロシアや中国が経済的に強くなってきて、もはや英米のグローバル・エリートが、世界を独占することができなくなってきたのだ。中国やロシアは、共産主義革命によって、経済的に激しく落ち込み、国際影響力を失っていたわけだけれど、この共産主義革命というのも、実は英米のグローバリストによって仕掛けられたという説もある。

少なくともロシア革命は、アメリカから大量に送り込まれたハザールユダヤ系ロシア人たちによって起こされたクーデターだったと言われている。それまでロシアは、文化的にも経済的にも、ヨーロッパにとって大きな意味を持つ国だったけれど、それがまったく落ち込んでしまったのだ。

それが、20年ほど前から変わってきた。ロシアはソ連崩壊後、資本主義経済を取り入れ、それから10年ほどは西側資本に腐敗させられてボロボロだったけれど、プーチン政権になってから、この腐敗を一掃して、たちまち大きな経済力を持つようになっていった。

**雪崩を打つように中露との連携が進むアジア・アラブ・アフリカ**

そのロシアや中国が、やはりアフリカやアラブ、アジアと経済提携を広げていっているのだけれど、これは西側諸国がやっている植民地主義的なものとはまったく違うものだと、トーマス・レーパーは言う。ロシアや中国は、アフリカのインフラ整備に投資しても、その権利はアフリカの国が持つので、西側諸国みたいにそれで搾取し続けるわけではないし、援助を条件に政府に干渉するようなこともしない。あくまで対等な関係、フェアな関係を保っているのだ。ロシアはアフリカで軍隊の養成もしているけれど、これはアメリカがやっているように、基地を置いてその国を軍事的に依存させ、支配するためではない。アフリカの国が自国を防衛できるようなやり方でやっている。

これは、ロシアや中国がいい国だとかいうことではなく、こうしたやり方こそは、ロシアや中国にとって、主権を保つための唯一の手段だからなのだ。実際、ロシアも中国も、西側から独裁国のレッテルを貼られて、あらゆる経済制裁をかけられている。周辺諸国がNATOに取り込まれていって、軍事的にも脅かされている。実のところ、ソ連が崩壊したのも、アメリカが軍備競争を仕掛けてきて、それをソ連が破産するまでやったからだった。これも経済競争で独占していくやり方と同じなのだ。相手が破産するまで追い詰めていく。破産したら、吸収して、さらに独占を広げていく。かくして、ソ連崩壊後、アメリカはNATOを東へ拡大していき、ついに隣の国までNATO軍が駐在するというようなことにまでなった。

ロシアや中国にとって、西側の覇権主義から国を守り、国の主権を保つためには、他の主権を保っている国々と提携していくしかない。それぞれの国が主権を保っていてこそ、西側のグローバル化という隠れた植民地主義に抵抗することができるからだ。(中略)実際、ロシアがウクライナに軍事介入したとき、アメリカは世界中に経済制裁を呼びかけたけれど、アフリカはどこも協力しなかった。経済制裁に協力したのは、いわゆる西側諸国と日本くらいだったのだ。他の国々は、その後もロシアとこれまで通り貿易を続けたし、ヨーロッパがロシアに対して経済制裁かけたおかげで、その分、アジアやアフリカとの流通が増大し、たがいに豊かになったくらいだった。

これまで、アメリカ中央情報局が恐くて、言うなりになっていた国も、ロシアがアメリカとの経済制裁戦に勝ったのを見て、ロシアと提携して行こうとし始めている。サウジアラビアは、初めて石油取引をドル以外の通貨で行なうことを承諾した。さらにサウジアラビアは、中国の仲介でイランと国交を回復し、シリアとも国交正常化した。エジプトはBRICSの加盟を希望しており、今やBRICS加盟希望している国は、16カ国ほどもあるという。これでアラブの石油産出国の大部分は、ロシアの側につくことになる。

習近平がモスクワ訪問したのと同じ頃、モスクワではアフリカ会議も開催されており、そこには40カ国もの国が、首相や外務大臣クラスの代表者を送っていた。これほどの人物が集まったのは、他には国連総会くらいのものだという。

そうした背景が見えてくると、習近平がモスクワを訪問して、プーチンと硬い握手を交わしたのは、本当にこの100年の歴史が引っくり返るくらいの大きな転換を意味していたのだということが、よくわかる。これは、英米の植民地主義的なグローバリズムに対抗する力をもった、世界的なネットワークができたということを意味しているからだ。ロシア外相ラブロフが、「一極支配は崩れ、もう戻っては来ない」と宣言してからちょうど一年ほどが経つ。多極化の世界は、ついにユーラシア大陸の大部分を占める2つの大国が手を結ぶところまで来たのだ。ここまで来たら、この多極化の波が世界中に波及していくのは、もう時間の問題だと思う。この100年ほど、世界中を支配し続けてきた西側グローバル・エリートたちは、遅かれ早かれ支配を手放すことになり、主権を取り戻した国々が、これまでの搾取から解放されて、栄えていく時代が直ぐにくるはずだ。(2023.3.29の投稿より)

## 世界はどん底まで落ちた後に望ましい世界に

日本と世界の現状を危機的と捉える人も多いが、私は、世界は良い方向に変わるための転換期を迎えていると捉えている。

第8章で取り上げた各種の問題点、すなわちマスコミ、政治、教育、医療、その他様々な分野で抱える問題が、コロナ騒動の中で世界中の国民に対して明らかになったことで、「こんな世界はもう嫌だ！変えて行こう！」との動きが世界中で加速して行くと思っている。欧米ではコロナで国から強制された感染対策に対して100万人規模のデモが各国で起こっており、すでに事態は動き始めている。

ただし日本は世界の動きから1年や2年は遅れるだろうというのが以前からの私の一貫した読みだ。なぜなら日本のマスコミが完全に機能不全に陥っていて、正しい情報をほとんど発信せず、国民が正しい情報を全くと言っていいほど取ることができないからだ。これに関して日本は先進諸国の中でも悪い意味で群を抜いている。

まだ英語圏の国であれば、英語で発信された最新の正しい情報を自分で取りに行くことができるが、海外の情報が日本語になって入ってくるのには翻訳にそれなりの時間が必要であるし、入ってくる量も限られるので、多くの日本人が海外の正しい情報をリアルタイムで得ることは非常に難しい。

それでも1年や2年が経てば、世界がどのような状況になっているかは伝わってくるので、日本も徐々に変わって行くはずだ。

ただし日本政府の動きを見ていると、農作物や水道水への残留農薬基準を世界の流れに逆らって緩和したり、外国人が簡単に日本の土地を買えるようにしたり、増税に次ぐ増税など、国民の健康と経済と日本の資産と安全保障を破壊するようなことばかり行なっているので、それまでに日本という国が破壊尽され、なくならないことが前提条件となる。

それでも私は、海外の動きその他の様々な情報（主に佐野美代子さん情報　https://ameblo.jp/sano-miyoko）から、日本を含めて未来には輝かしい世界が待っていると確信しており、それを楽しみにしている。皆さんにも悲観的にはならないで欲しいと思っている。

輝かしい未来に関して、具体的なことを何も示さないのもモヤモヤするかと思うので、最後に私が子どもの頃から慣れ親しんできた異星人の話をすることにする。

第5章で触れた通り、地球を訪れている異星人がいることは事実と認識していいはずだ。

宇宙には数限りない星があり、様々な生命体が存在する。中には攻撃的で冷酷な存在と人間的で善良な存在とがいるらしい。ここからの話は主に佐野美代子さん（100万部の「ザ・シークレット」日本語版翻訳家）の一連の著作からの情報が中心になっている。

「陰謀論」13で触れた爬虫類人型異星人＝レプティリアンは太古に地球を訪れ、これまた過去に地球に住み始めた別の異星人の末裔である人類を、5,700年間に渡って奴隷化しているという。レプティリアンは直接表に出ると、姿形が人間と異なるために存在がバレてしまうので、表には出ず、人類との間にレプティリアンと人類の混血種を置き、彼らを通じて間接的に人類を支配しているという。

一方で人類を助けようとする友好的異星人グループも存在し、これまでもずっと陰ながら支援してくれているという。3.11では、危機的状況にあった福島第一原発の上空に現れたUFOが被害を軽減してくれたのではないかとも言われている。

この辺りの話は、デーヴィッド・アイクの説も含め、簡単に信じることは難しいが、世界中の数多くのコンタクティー（異星人との接触を行なっている人）などからの情報がかなりの部分で一致しているため、その共通部分に関しては一考の余地はあると思っている。

佐野美代子さんによれば、人類を支配する異星人グループ（レプティリアンだけではない）は友好的異星人グループによって2021年の時点で地球から追放されたという。後ろ盾を失った支配者層はしばらくの間は悪あがきを続けるだろうが、いずれ彼らも力を失い、善良な異星人グループに支援された我々人類には、これまで支配者に隠されて来た様々な科学技術（フリーエネルギー、反重力装置など）が解禁されて、全ての人類が待ち望んでいた素晴らしい世界がやって来るとの未来像を提示している。詳細については、参考文献に上げた佐野美代子さんの本を読んで欲しい。

先ほども書いた通り、日本は世界の動きから1、2年は遅れることになると思うが、必ず日本にも明るい未来はやって来る。

それを信じ、イメージは明るく持ち、そして楽しみながら一緒に世界を変えて行こう。

【コラム3】

**▶私の好きな真実暴露系ユーチューバー** その3

## 及川幸久

海外勤務時代に培った堪能な英語力を活かして、海外の政治を中心とした真実暴露系情報を、耳に心地よい美声を生かして、非常に分かりやすく解説していく。国際政治コメンテーターにして、「及川幸久 THE WISDOM CHANNEL」は登録者数 50 万人越えの人気ユーチューバー。

このソフトで低音な声と流暢な喋りに魅了された及川さんファンの女性は多いと思われる。

難点と言えば、幸福実現党の外務局長であることで宗教色があることか？

しかしその発信する情報に対する信頼度は非常に高い。

2022 年には参議院選挙に幸福実現党から立候補したが落選した。

## 【あとがき】

私を知らない人が朝日新聞やニュースゼロの報道を見たら、私のことを「頭のおかしな奴」と思ったことでしょう。しかし実際にはマスコミ報道には変なバイアスが掛かっていて、事実を正しく報道することよりも、番組として面白くすること、脚本家の描いた視聴率の取れる内容とすることの方の優先順位が高くなってるのが実態です。

この本の目的は、人々がマスコミにより刷り込まれた洗脳を解くことであり、伝えたかったのは、「とにかくマスコミのいうことを鵜呑みにしないこと」、そして「政府や学者・医者などの専門家の言葉も疑って掛かること」です。特に「陰謀論」とのレッテルを貼って、真実を十把一絡げに葬り去ろうとする動きには細心の注意を払って下さい。そこには真実が隠されている可能性が非常に高いのですから。

彼らの言葉を信じていても何とかなる時代は終わりました。信じられないと思いますが、今は、「彼らの言葉を信じていると殺される」時代に突入しているのです。

自分の命や家族の命を守るために、自分で情報を取って自分の頭で考えて、自分で判断するように心がけて欲しいと思います。それが自分を守ることになり、自分の命に責任を持つことになるのです。自分の命を他人に預けるべきではありません。

このような本を出せたのは、私を取り上げてくれたマスコミの存在があったからでもあるので、報道の仕方はともかくとして、マスコミ各社には感謝しています。皮肉を込めて。

この本は、世の中には科学で解明されていなかったり、政府や主流科学が認めようとしない未知の世界があることを私に教えてくれた父が書かせてくれたような気がしています。本当は父が書きたかった本なのかもしれません。感謝の気持ちを込めて、この本を今は亡き父、宮庄謙に捧げます。

## 【参考文献】

--- 第 2 章 ---

情報パンデミック〜あなたを惑わすものの正体（読売新聞大阪本社社会部、中央公論新社、2022）
新型コロナワクチンの光と影　誰も報じなかった事実の記録（大石邦彦、方丈社、2023）

--- 第 4 章 ---

これでも朝日新聞を読みますか？（山際澄夫、ワック出版局、2007）
スノーデン 日本への警告（エドワード・スノーデン、集英社新書、2017）
政府は必ず嘘をつく（堤 未果、角川新書、2012）
北朝鮮のミサイルはなぜ日本に落ちないのか　国民は両建構造に騙されている（秋嶋 亮、白馬社、2018）
「社会調査」のウソリサーチ・リテラシーのすすめ」（谷岡一郎、文春新書、2000）
月刊 WILL 7 月号別冊 もう陰謀論とは言わせない（ワック出版局、2023）

--- 第 5 章 ---

ペンタゴン戦慄の完全支配（ウィリアム・イングドール、徳間書店、2011）
究極の大陰謀　上・下（デーヴィッド・アイク、三交社、2003）
9.11 テロ疑惑国会追及（藤田幸久、クラブハウス、2009）
9.11 テロ捏造　日本と世界を騙し続ける独裁国家アメリカ（ベンジャミン・フルフォード、徳間書店、2006）
9.11 テロの超不都合な真実（菊川征司、徳間書店、2008）
[9.11 テロ完全解析] 10 年目の「超」真実（菊川征司、ヒカルランド、2011）
「地球温暖化」神話　終わりの始まり（渡辺正著、丸善出版、2021）
地球温暖化論への挑戦（薬師院仁志、八千代出版、2002）
環境問題はなぜウソがまかり通るのか（武田邦彦、洋泉社、2007）
ウクライナ問題の正体　1・2（寺嶋隆吉、あすなろ社、2022）
アメリカ不正選挙 2020（船瀬俊介、成甲書房、2021）
アメリカの崩壊（中山 泉、方丈社 2022）
「アメリカ」の終わり（中山 泉、方丈社、2021）
新型コロナ真相謎とき紙芝居（宮庄宏明、クラブハウス、2022）
新型コロナ真相謎とき紙芝居　増補改訂版（宮庄宏明、クラブハウス、2023）
グレートリセット（クラウス・シュワブ、日経ナショナル・ジオグラフィック、2020）
第 4 次産業革命（クラウス・シュワブ、日経新聞出版、2016）
日本終了に蠢く黒幕の正体（ベンジャミン・フルフォード＋国際城 H 城ファクト研究所、宝島社、2022）
尾崎 豊 Say good-bye to the sky way（尾崎 豊の愛と死と（尾崎 康、リム出版、

1994)
気象兵器・地震兵器・HAARP・ケムトレイル（ジェリー・E・スミス、成甲書房、2010）
3.11[人工地震説の根拠]衝撃検証（泉パウロ、ヒカルランド、2011）
竜であり蛇であるわれらが神々（デーヴィッド・アイク、徳間書店、2007）
DS民主党・DS中国共産党・DSバチカン（藤井 創、ヒカルランド、2022）
カバールの正体（副島隆彦監修、西森マリー、秀和システム、2021）

--- 第7章 ---
堤未果のショック・ドクトリン（堤 未果、幻冬社、2023）
FOR BIGINNERS エントロピー（藤田祐幸・槌田 敦、現代書館、1985）
エントロピーの法則（ジェレミー・リフキン、祥伝社、1982）
エントロピーの法則II（ジェレミー・リフキン、祥伝社、1983）
ターニング・ポイント（フリッチョフ・カプラ、工作舎、1984）
アダムスキー全集4 宇宙哲学（ジョージ・アダムスキー、汪洋社、1983）
自我の終焉（クリシュナムルティー、篠崎書林、1980）
子どもたちとの対話（クリシュナムルティー、平河出版社、1992）
神との対話（ニール・ドナルド・ウォルシュ著、サンマーク出版、2001）
戦争論（小林よしのり、幻冬舎、1998）
戦争論2（小林よしのり、幻冬舎、2001）
戦争論3（小林よしのり、幻冬舎、2003）
日本の植民地の真実（黄文雄、扶桑社、2005）
大日本帝国の真実（黄文雄、扶桑社、2003）
巨大地震は「乖離水」の爆縮で起きる！（石田 昭、工学社、2013）
大いなる秘密　上・下（デーヴィッド・アイク、三交社、2000）
ワクチンの真実（崎谷博征、秀和システム、2021）

--- 第8章 ---
SDGsの大嘘（池田清彦、宝島社新書、2022）
医療殺戮（ユースタス・マリンズ、面影橋出版、1997）

--- 終　章 ---
世界の衝撃的な真実　闇側の狂気（佐野美代子、2022）
世界の衝撃的な真実　光側の希望（佐野美代子、2022）
銀河連合からの使者＆スタートラベラー　銀河プロジェクトI（佐野美代子、2022）
隠されてきた光と闇の「秘密宇宙プログラム」のすべて　銀河プロジェクトII（佐野美代子、2023）

この惑星を見守る心優しき地球外生命体たち（エレナ・ダナーン著、佐野美代子訳、2023）
110の宇宙種族と未知なる銀河コミュニティへの招待（エレナ・ダナーン、2022）

【謝 辞】本書の出版にご協力頂いた以下の方に感謝致します。(敬称略)

佐藤シューちひろ、矢澤 真、小林 洋、中嶋一統、坪内俊憲

## 【添付資料】

**主な反コロナワクチン及び真実暴露系論者サイトリスト**(日本人のみ 敬称略)

**●医師**

内海 聡（市民をつなぐ党代表） 崎谷博征 吉野敏明 高橋 徳（ウイスコンシン大名誉教授） 中村篤史 本間真二郎 近藤 誠 鹿先生

**●学者**

大橋 眞（徳島大名誉教授） 武田邦彦（元名古屋大学大学院教授） 藤井聡（京大教授） 宮沢孝幸（京大准教授） 井上正康（大阪市立大名誉教授） 岡田正彦（新潟大名誉教授） 福島雅典（京大名誉教授）

**●政治家・元政治家・政治団体関係者**

神谷宗平（参院議員） やながせ裕文（参院議員） 川田龍平（参院議員） 原口一博（衆院議員） 須藤元気（参院議員） 斎藤新緑（元福井県議） 池田としえ（東京都日野市議） 谷本誠一（広島県呉市元市議） 長嶋竜弘（鎌倉市議） 南出賢一（大阪府泉大津市長） 奥野卓志（ごぼうの党党首） 黒川敦彦（つばさの党代表） 石濱哲信（日防隊役員）

**●ジャーナリスト / 作家 / 漫画家**

船瀬俊介 ベンジャミン・フルフォード リチャード・コシミズ 鳥集 徹 飛鳥昭雄 小林よしのり

**●ユーチューバー / ブロガー / サイト**

アキラボーイ 及川幸久 浅村正樹（サトリズムTV） ヘブニーズ(HEAVENESE) ダニエル社長 井口和基 天野統康 TOCANA カレイドスコープ 日本や世界や宇宙の動向 Thinker In Deep

# 人気のコロナ関連ムック
# 絶賛発売中！

▲『新型コロナ 真相謎とき紙芝居』好評を博し、発行１年足らずで４刷を達成した、宮庄宏明のデビュー作の増補改訂版！
……………………………………… 定価1,300円 / 税別

▲『猫のように生きる』多彩な執筆陣が語る"人類総感染"時代の政治とライフスタイル……………………… 定価980円 / 税別

著 者：宮庄 宏明　みやしょう ひろあき

1963年宮城県仙台市生まれ。

東北大学工学部卒業、オリンパス光学工業（当時）に入社。20年間カメラの開発に携わる。9.11同時多発テロの真相に気付き、本格的に裏の世界の研究を始める。

2020年7月、Facebookでグループ「新型コロナを疑う」（現「コロナの真実を伝える会」）を立ち上げる。

2021年2月にコロナ離婚、会社を退社し、コロナの真実を伝える活動に専念。

同年、「コロナ離婚した家族」としてマスコミ各社に取り上げられる。

2022年、「新型コロナ真相謎とき紙芝居」を出版。

趣味・特技は写真撮影、卓球、バイオリン、将棋（2段）など。

---

## 「陰謀論者と呼ばれて」

発行日　2023年7月25日 初版
著　者　宮庄宏明（みやしょう ひろあき）
発行人　河西保夫
発　行　株式会社クラブハウス
〒151-0051 東京都渋谷区千駄ヶ谷3-13-20-1001
TEL 03-5411-0788（代）FAX 050-3383-4665
http://clubhouse.sohoguild.co.jp/
担当：kawany69@gmail.com

カバーイラスト／「ブラックジャックによろしく」佐藤秀峰
装丁・本文デザイン／Tropical Buddha Design

印刷／株式会社アートプレス

ISBN978-4-906496-68-6